LA FEMME
QUI ATTENDAIT

Andreï Makine, né en Sibérie, a publié de nombreux romans, parmi lesquels : *Le Testament français* (prix Goncourt et prix Médicis 1995), *Le Crime d'Olga Arbélina, Requiem pour l'Est* et *La Musique d'une vie* (prix RTL-Lire 2001). Son dernier ouvrage, *L'Amour humain*, est paru aux Éditions du Seuil.

Andreï Makine

LA FEMME
QUI
ATTENDAIT

ROMAN

Éditions du Seuil

TEXTE INTÉGRAL

ISBN 978-2-02-078746-8

(ISBN 2-02-063743-X, 1re publication)

© Éditions du Seuil, janvier 2004

I

1

« Une femme si intensément destinée au bonheur (ne serait-ce qu'à un bonheur purement physique, oui, à un banal bien-être charnel) et qui choisit, on dirait avec insouciance, la solitude, la fidélité envers un absent, le refus d'aimer... »

J'ai écrit cette phrase à ce moment singulier où la connaissance de l'autre (de cette femme-là, de Véra) nous semble acquise. Avant, c'est la curiosité, la divination, la soif d'aveux. La faim d'autrui, l'attirance pour ses souterrains. Puis, une fois son secret déchiffré, viennent ces mots, souvent prétentieux et catégoriques, qui dissèquent, constatent, classent. Tout devient compréhensible et rassurant. Peut alors débuter la routine d'une liaison ou d'une indifférence.

Le mystère de l'autre est apprivoisé. Son corps est réduit à une mécanique charnelle, désirable ou non. Son cœur, à un inventaire de réactions prévisibles.

En fait, à ce stade, une sorte de meurtre se produit car nous tuons cet être infini et inépuisable que nous avons rencontré. Nous préférons avoir affaire à une construction verbale plutôt qu'à un vivant...

Durant ces journées de septembre, dans un village au milieu des forêts qui s'étendent jusqu'à la mer Blanche, j'ai dû noter des réflexions de ce genre : « un être inépuisable », « un meurtre », « la femme dénudée par les mots »... À l'époque (j'avais vingt-six ans), ces conclusions me paraissaient d'une grande perspicacité. J'éprouvais l'agréable orgueil d'avoir deviné la vie cachée d'une femme qui avait l'âge d'être ma mère, d'avoir formulé son destin dans quelques phrases bien tournées. Je pensais à son sourire, au geste de sa main dont elle me saluait, en m'apercevant de loin, sur la rive du lac, à l'amour qu'elle aurait pu offrir à tant d'hommes et qu'elle ne donnait à personne. « Une femme si intensément destinée au bonheur… » Oui, j'étais assez fier de mon analyse. Je me souvenais même qu'au dix-neuvième siècle un critique avait parlé de dialectique de l'âme pour désigner, chez les écrivains, cet art de sonder les contradictions de la psychologie humaine. « … une femme destinée au bonheur mais… »

Ce soir de septembre, j'ai refermé mon carnet, regardé une poignée d'airelles, froides et jaspées, qu'en mon absence Véra avait versée sur ma table. Dans la fenêtre, au-dessus des crêtes noires de la forêt, le ciel gardait une pâleur laiteuse laissant imaginer, à quelques heures de marche, la présence assoupie de la mer Blanche, déjà en attente de l'hiver. La maison de Véra se trouvait au début d'un sentier qui, à travers des fourrés et des collines, menait vers le rivage. J'ai pensé à la solitude de cette femme, à son calme, à son corps (très physiquement j'ai imaginé un fuseau de chaleur douce dont s'entourait ce corps féminin, sous la couverture, par une limpide nuit de givre) et soudain j'ai compris qu'aucune dialectique de l'âme n'était capable de dire le secret de cette vie. Une vie beaucoup trop claire et douloureusement simple face à ces analyses savantes.

La vie d'une femme qui attendait celui qu'elle aimait. Aucun autre mystère.

Le seul trait énigmatique, anecdotique plutôt, était mon erreur : après notre première rencontre, qui n'avait duré que quelques secondes, à la fin du mois d'août, j'avais croisé Véra encore une fois, au début de septembre. Et je ne l'avais pas reconnue. J'étais certain qu'il s'agissait de deux femmes différentes.

Les deux pourtant me semblaient « si intensément destinées au bonheur… ».

Plus tard, j'apprendrais le dénivelé des chemins, la vêture vivante des arbres, nouvelle à chaque tournant, les courbes fuyantes du lac dont je pourrais bientôt suivre la berge les yeux fermés. Mais en ce jour de fin d'été, je commençais seulement à connaître le pays, je marchais à l'aventure avec la troublante joie de pouvoir découvrir, derrière cette forêt de mélèzes, un village abandonné ou bien de passer, en équilibriste, sur un ponceau en bois à moitié effondré. C'est justement à l'entrée d'un village qui paraissait inhabité que je la vis.

D'abord, je crus avoir surpris un couple qui

faisait l'amour. Dans la broussaille qui envahissait les rives du lac, j'aperçus l'éclat très blanc d'une hanche, le galbe d'un torse tendu par l'effort, j'entendis une respiration essoufflée. La soirée restait claire mais le soleil rasant et d'un rouge écorché striait la vue d'ombre et de feu, embrasait les feuilles des saules. Du fond de ce papillotement, un visage de femme surgit, effleurant presque de son menton le sol argileux, et tout de suite se renversa en arrière, dans un violent flot de la chevelure rejetée… L'air était chaud, moite. La dernière chaleur de la saison, un « été indien » apporté, pour quelques jours, par le vent du sud.

J'allais passer mon chemin quand, précédée d'une brusque secousse des branches, la femme apparut, hocha la tête dans un salut indécis, rajusta rapidement sa robe retroussée au-dessus de ses genoux. Je la saluai aussi, gauchement, sans pouvoir trop distinguer son visage sur lequel alternaient les rais du couchant et des zébrures d'ombre. À ses pieds, tassé comme le corps d'un noyé, s'enroulait un gros filet de pêche qu'elle venait de retirer.

Durant quelques instants, nous restâmes figés, unis par une complicité ambiguë, semblable à celle d'un acte charnel hâtif dans un endroit peu sûr ou à celle d'un crime. Je regardais ses pieds nus, rougis par l'argile, et la masse du filet qui remuait par saccades : les corps verdâtres de quelques brochets se débattaient pesamment et au-dessus, emmêlé parmi les flotteurs, se tendait la courbe longue, presque noire, de ce que j'avais pris d'abord pour un serpent (une anguille ou un jeune silure, sans doute). Cet amas de fils et de poissons s'égouttait lentement, l'eau mêlée à la vase rousse fluait vers le lac, telle une mince coulée de sang. Il faisait lourd, comme avant l'orage. L'air immobile nous emprisonnait dans une posture fixe, une inertie de mauvais songe. Et il y avait la compréhension partagée, irréfléchie et tacite, que tout était possible entre cet homme et cette femme, dans cette chute du jour rouge et violente. Absolument tout. Et qu'il n'y avait rien ni personne pour l'empêcher. Leurs corps pouvaient s'allonger près de l'écheveau du filet, se donner, vivre le plaisir à mesure qu'agonisaient les vies prises dans les mailles...

Je partis vite, avec l'impression d'avoir esquivé, par couardise, le moment où le destin s'incarne dans un lieu, dans un visage. Le moment où le hasard nous laisse entrevoir son obscur tissage de causes et de conséquences.

Une semaine plus tard, ce fut le châtiment, un vent du nord-est apportant la première neige, comme pour se venger de ces quelques jours d'éden. Un châtiment plutôt doux, fait de tourbillons blancs, lumineux qui donnaient le vertige, brouillant les perspectives des chemins et des champs, faisaient sourire les gens éblouis par les brassées incessantes de flocons. L'air piquant et amer avait le goût de l'espoir neuf, du bonheur promis. Les bourrasques jetaient des volées de cristaux sur la surface noire du lac qui engloutissait ce blanc fragile, toujours et toujours, dans ses profondeurs. Mais les rives étaient déjà éclairées par la neige et les balafres boueuses que notre camion laissait sur la route étaient vite pansées.

Le chauffeur avec qui j'allais souvent d'un village à l'autre se déclarait, ironiquement, «la première hirondelle du capitalisme». Otar, un Géorgien d'une quarantaine d'années, qui avait créé une pelleterie clandestine puis, dénoncé, avait fait de la prison et, jouissant à présent de liberté conditionnelle, était préposé à ce vieux camion aux ridelles vermoulues, dans cette contrée du Nord. Nous étions au milieu des années soixante-dix et «la première hirondelle du capitalisme» considérait sincèrement s'en être plutôt bien tirée. «En plus, ici, pour un mec il y a neuf nanas», répétait-il souvent, les yeux brillants, le sourire goulu.

Il parlait des femmes sans interruption, il vivait pour les femmes et je supposais que même son affaire de pelleterie avait eu pour but la possibilité d'habiller et de déshabiller les femmes. Intelligent du reste et même sensible, il exagérait bien sûr ce credo de coureur, sachant que telle était l'image des Géorgiens en Russie : amants obsédés de conquêtes, monomaniaques du sexe, riches et primaires. Il jouait cette caricature, comme il arrive souvent aux étrangers de mimer les clichés touristiques de leur pays d'origine. Pour ne pas décevoir la galerie.

Malgré ce jeu, le corps féminin était pour lui, naturellement, logiquement, la seule chose pour laquelle il valait la peine de vivre. Et la torture extrême eût été de ne pas pouvoir le dire à un confident bienveillant. Bon gré mal gré, j'avais assumé ce rôle. Reconnaissant, Otar était prêt à m'emmener au pôle Nord.

Dans ses récits, il parvenait, je ne sais pas comment, à éviter la répétition. Pourtant, il s'agissait invariablement de femmes convoitées, séduites, possédées. Il les prenait couchées, debout, recroquevillées dans la cabine de son camion, adossées au mur d'une étable au milieu de la rumination ensommeillée des bêtes, dans des clairières au pied d'une fourmilière («On avait tous les deux les fesses bouffées par ces saletés !»), dans des bains de vapeur… Sa langue était à la fois crue et fleurie : il faisait «craquer ce gros cul comme une pastèque», et dans les bains «les seins, ça gonfle, ça prend du volume, oui, ça monte comme une pâte qui lève», «je l'ai poussée contre un cerisier, je l'ai enfoncée et je l'ai tellement secouée qu'il y a eu plein de cerises qui nous tombaient dessus, on était tout rouges de jus… ». Au fond, c'était un véritable poète de la chair et la sincérité de son extase devant le corps féminin sauvait ses récits de la monotonie des coïts.

Un jour, j'eus l'imprudence de lui demander comment je pouvais savoir si la femme était prête à accepter mes avances ou non. «Si elle baise ou non ? s'exclama-t-il tout en donnant un coup de volant. Mais c'est très simple, tu lui poses une seule et unique question… » Bon comédien, il fit durer la pause, visiblement heureux d'instruire un jeune nigaud. « Il te faut savoir juste cela : est-ce qu'elle mange du hareng saur ?

– Du hareng ? Mais pourquoi ?

– Mais parce que si elle mange du hareng saur, elle a soif…

– Et alors ?

– Et si elle a soif, elle boit beaucoup d'eau.

– Je ne comprends pas…

– Si elle boit de l'eau, elle pisse, d'accord ?

– Bon, et alors ?

– Mais si elle pisse, elle doit avoir un sexe.

– Ça c'est clair mais…

– Et si elle a un sexe, elle baise ! »

Il partit d'un long rire qui couvrit le bruit du moteur, m'assena plusieurs tapes sur l'épaule, oublia la route balayée par la bourrasque. C'était précisément ce jour de la première neige, au début de septembre. Nous venions d'arriver dans un village qui paraissait désert et que je ne reconnus pas. Ni les isbas transfigurées par des couches de flocons, ni les berges du lac toutes tapissées de blanc.

Otar freina, attrapa un seau, alla vers un puits. Son camion, antédiluvien, consommait bizarrement autant d'eau que d'essence. « Comme cette nana qui mange du hareng saur », plaisanta-t-il en me lançant un clin d'œil.

Nous allions reprendre la route quand elles apparurent. Deux femmes, une grande et plutôt jeune, l'autre, une vieille toute petite, remontaient la pente qui menait du lac vers la route. Elles venaient de prendre un bain dans la minuscule isba dont la cheminée laissait encore échapper un voile de fumée. La vieille marchait difficilement, luttant contre les coups de vent, détournant le visage des volées de neige. Son accompagnatrice donnait l'impression de la soulever presque. Elle était vêtue d'un long manteau militaire, celui qu'on portait jadis dans la cavalerie. Elle avait la tête nue (peut-être, surprise par la neige, avait-elle donné son châle à la vieille femme) et son cou sous le gros drap de l'encolure du manteau paraissait d'une finesse presque enfantine. Débouchant sur la route, elles tournèrent vers le village, nous les voyions à présent de face. Et c'est là qu'un souffle plus brusque rejeta un des pans de la longue capote de cavalerie et, l'espace d'un instant, nous vîmes la blancheur de la poitrine que la femme recouvrit rapidement, en tirant avec humeur les revers de son manteau.

Sans démarrer, Otar regardait fixement par la portière ouverte. J'attendais ses commentaires, je me souvenais : «les seins, ça gonfle dans un bain…». J'étais certain de devoir entendre une tirade hilare et corsée de cette trempe-là. Et pour la première fois, je pressentais que cette parole, même rieuse et bon enfant, me serait pénible.

Mais il ne bougeait pas, les mains sur le volant, les yeux portés vers les deux ombres féminines qui s'effaçaient peu à peu sous la bourrasque…

Sa voix résonna au même moment que l'embrayage du moteur et le giclement de la boue sous les roues :

«Sacrée Véra! Elle attend! Elle attend! Encore et toujours… Elle a fichu sa vie en l'air avec cette attente! Il a été tué ou a disparu, qu'importe. On pleure, d'accord, on boit un bon coup de vodka, d'accord, on porte le deuil, très bien, c'est la coutume, mais après, on recommence à vivre. La vie continue, merde! Elle avait seize ans quand il est parti au front, en quarante-cinq, et depuis elle attend, parce qu'on n'a jamais reçu aucun papier fiable sur la mort de ce type. Elle s'est enterrée ici avec toutes ces vieilles dont tout le monde se balance et qu'elle va cueillir à moitié mortes au fond de la forêt. Et elle attend…. Ça fait trente ans, putain ! Et t'as vu comme elle est encore belle… »

Il se tut, puis me jeta un coup d'œil féroce et s'écria d'une voix cinglante : « Cette histoire-là, c'est pas du hareng saur, connard ! » Je faillis répliquer sur le même ton, en pensant que le juron me visait, mais ne dis rien. Le désespoir avec lequel il frappa le volant du plat de ses mains montrait que c'est à lui-même qu'il en voulait. Son visage perdit sa carnation bronzée, devenant gris. Je sentis que violemment il refusait de comprendre cette femme et qu'en même temps, en vrai montagnard, il éprouvait pour cette attente le respect presque sacré qu'on doit à un vœu, à un serment…

Nous gardâmes le silence jusqu'à la ville, le chef-lieu de district, où je descendis. Sur la place centrale, couverte de neige boueuse, un couple de jeunes mariés, entouré de proches, était en train de quitter le perron d'un bâtiment administratif, pour s'installer dans la première voiture d'un cortège enrubanné. Dans le ciel, au-dessus du toit plat, au-dessus d'un drapeau rouge délavé, passait un triangle vivant d'oies sauvages.

« Tu sais, après tout, elle a peut-être raison, cette Véra, me dit Otar en répondant à ma poignée de main. Et puis ce n'est pas à moi, ni à toi de la juger. »

Je n'essayais pas de la « juger ». Simplement, quelques jours après cette rencontre sous la neige, je la vis, de très loin, marcher le long de la berge.

La journée était limpide et glaciale, le règne de l'automne après les derniers spasmes de l'été qui s'était débattu entre la canicule et les bourrasques de neige. La neige avait fondu, le sol était sec et dur, les feuilles des saules étincelaient, des lamelles d'or dans l'air bleu. Je me sentis accepté par ces champs ensoleillés, par l'ombre massive de la forêt, par les fenêtres de quelques isbas qui semblaient me dévisager avec bienveillance et mélancolie.

Sur l'autre rive du lac, je la reconnus : un trait sombre au milieu de l'embrasement doré et froid. Je la suivis longuement des yeux, frappé par une pensée simple et qui rendait inutile toute autre réflexion sur son destin : « Voilà une femme, me disais-je, dont je sais tout. Toute sa vie est devant moi, concentrée dans cette silhouette lointaine qui longe le lac. C'est une femme qui depuis trente ans, donc depuis toujours, attend l'homme qu'elle aime. »

Le lendemain, je voulus atteindre le rivage de la mer Blanche. L'une des vieilles habitantes du village m'indiqua le chemin à moitié envahi par la forêt, m'assura qu'elle-même, dans sa jeunesse, mettait une demi-journée pour y aller et que moi, avec mes longues jambes... Je m'égarai tout près du littoral. Espérant contourner une colline je tombai sur une tourbière humide, pataugeai au milieu des conches d'où montait une forte odeur de marécage. La mer était toute proche, son souffle balayait de temps en temps l'aigreur de l'eau stagnante... Mais le soleil déclinait déjà, il fallait me résigner à rentrer.

Mon retour ressemblait à la fuite après une débâcle. Plus de chemin connu, des changements de cap désordonnés, la crainte ridicule de me perdre pour de bon, et ces toiles d'araignée qu'il fallait essuyer de mon visage avec le sel de la sueur.

Le village et le lac surgirent subitement, au moment le plus inespéré, comme d'un rêve. Un rêve calme, éclairé par la transparence pâle du couchant. Je m'assis sur un gros bloc de granit qui avait dû marquer autrefois les limites d'un domaine. En quelques secondes, la fatigue afflua, effaçant même l'agacement d'avoir raté le but. Je me sentais vidé, absent comme s'il n'était resté de moi que ce regard lent qui, sans peser, glissait sur le monde.

À la jonction du chemin qui menait au village et de la route qui partait vers le chef-lieu, je vis Véra. À ce carrefour, fixé sur un poteau, se trouvait un petit écriteau avec le nom du village, Mirnoïé. Un peu plus bas était clouée une boîte aux lettres, la plupart du temps vide, parfois abritant un journal local. Véra s'approcha du poteau, ouvrit l'abattant en fer-blanc de la boîte, plongea la main à l'intérieur. Même de loin, je sentis que le geste n'était pas machinal, qu'il n'était toujours pas devenu machinal…

Je me souvins de notre première rencontre, instantanée, à la fin du mois d'août. Le gros filet de pêche, le regard d'une inconnue, son corps réchauffé par l'effort. Ma certitude que tout était possible entre nous. Et l'impression d'avoir laissé passer la chance. Je l'avais noté dans mon carnet. Ces notes me paraissaient à présent parfaitement incongrues. La femme qui cherchait une lettre dans une boîte rouillée vivait sur une autre planète.

C'est de cette planète qu'en s'approchant elle me salua, sourit, se dirigea vers sa maison. Je pensai à son attente et pour la première fois ce destin ne me sembla pas étrange, ni exceptionnel.

« En fait, toutes les femmes attendent, comme elle, durant toute leur vie, formulai-je avec mal-adresse. Toutes les femmes, dans tous les pays, de tout temps. Elles attendent un homme qui doit apparaître là, au bout de cette route, dans cette transparence du couchant. Un homme au regard ferme et grave, venant de plus loin que la mort vers une femme qui espérait malgré tout. Et celles qui n'attendent pas sont de simples mangeuses de hareng saur ! »

L'agressivité d'une telle conclusion me fit du bien car j'étais venu dans ce village un peu à cause d'une de ces femmes qui ne savent pas attendre.

2

J'avais fui ceux qui trouvaient notre temps trop lent. Au reste, je cherchais à échapper plutôt à moi-même, car peu de chose me distinguait d'eux. Je l'ai compris durant cette nuit de mars, dans l'atelier que nous appelions Wigwam. Sur une toile à peine recouverte de couleurs, un visage esquissé ressemblait curieusement au mien.

À un moment, la cadence de la déclamation coïncida avec le soufflement rythmique des deux amants. Tout le monde essaya de garder l'air sérieux. Surtout le poète lui-même. Car le contenu des strophes l'exigeait. Notre pays y était comparé à une terrifiante planète dont la masse démesurée empêchait qui que ce soit de s'arra-

cher à sa gravitation. Le mot « planète » avait pour
rime « niet », répété plusieurs fois, en incantation
martelante. Au milieu de la récitation, cette rime
se mit à recevoir en écho des râles virils et, un ton
au-dessus, les gémissements d'une femme, ce
couple séparé de nous juste par quelques toiles
sur leurs chevalets. Dont le portrait à peine coloré
d'un homme qui me ressemblait.

La situation était cocasse. Et pourtant la
nuit, festive comme tant d'autres nuits passées
dans cet atelier, était triste.

Non, il y avait comme toujours beaucoup
d'alcool, beaucoup de musique (ce chanteur de
jazz sur le point de chuchoter à l'oreille de chacun un secret et qui ne cessait de retarder ses
aveux), beaucoup de corps, jeunes en majorité,
prêts à s'aimer sans interdits ou plutôt à s'aimer
pour railler les interdits.

Avec un retard de six ou sept ans, Mai 68
parvenait jusqu'en Russie, jusqu'à ce long grenier
transformé en un atelier semi-clandestin, dans la
banlieue lointaine de Leningrad.

« Planète » – « Niet ! », déclamait l'auteur du
poème et les cris d'un orgasme mûrissant lui
répondaient derrière les tableaux inachevés. Le

« niet » étouffait l'éclosion des talents, l'expression de la liberté, l'amour sans entrave, les voyages à l'étranger, en fait, tout. Seul ce grenier planait, bravant les lois de la gravitation.

C'était une ambiance assez typique pour ce genre de rassemblements d'artistes plus ou moins dissidents. De Kiev à Vladivostok, de Leningrad à Tbilissi, on disait, on craignait, on espérait à peu près la même chose. D'ordinaire, cela se passait dans la joie que procurent la clandestinité et la subversion, surtout quand on est jeune. Et ce qui ne pouvait pas se dire dans un poème ou sous un coup de pinceau, nous l'exprimions par ces orgasmes erratiques. Planète Niet et les plaintes qui reprenaient de plus belle derrière les toiles.

Mais la gaieté, cette fois-ci, était poussive. Même la présence de ce journaliste américain n'y changeait rien. L'avoir ici était un grand événement pour nous tous : il était assis au centre, dans un fauteuil, et pouvait passer, vu l'empressement qui l'entourait, pour le président des États-Unis. Mais la mayonnaise ne prenait pas.

Il eût été simple d'expliquer ce vague à l'âme par ma jalousie. À peine une semaine auparavant, la femme qui gémissait derrière les tableaux dormait encore dans mes bras. Je connaissais sa voix pendant l'amour et, à présent, je distinguais son timbre dans ce duo. Sans broncher. Sans le droit d'être jaloux. La propriété sexuelle, le comble du ridicule petit-bourgeois ! Boire, fumer en plissant les paupières (comme dans les films de Godard), approuver la lecture d'un poème et, quand la femme apparaîtrait au milieu des toiles, lui jeter un clin d'œil, lui proposer un verre… Je me souvins que dans son sommeil ses sourcils se soulevaient parfois, comme si elle se demandait : « Pourquoi tout ça ? » Son visage devenait alors désarmé, enfantin… Interdit de se souvenir !

En vérité, nous sentions tous que, cette nuit, le cœur n'y était pas. Peut-être justement à cause du journaliste américain. Un trop gros poisson pour cet atelier miteux, une visite trop convoitée. Il était là comme l'incarnation suprême de l'Occident rêvé, il écoutait, observait et chacun de nous avait l'impression d'être transporté au-delà du rideau de fer. Grâce à lui, les strophes récitées semblaient être déjà imprimées à Londres ou à New York, un tableau inachevé était sur le point d'être accroché dans une galerie parisienne. Nous jouions pour lui une mise en scène de la dissidence artistique et même les gémissements de plaisir derrière les chevalets lui étaient personnellement adressés.

En somme, il nous avait tout simplement damé le pion. J'étais venu avec l'intention de parler de mon voyage à Tallin. Les pays Baltes faisaient à l'époque figure d'antichambre de l'Occident. Arkady Gorine, le petit brun assis par terre sur une vieille boîte à couleurs, aurait parlé de son départ prochain pour Israël, après six ans de refus de visa. Mais l'Américain était là et nos récits paraissaient bien pâles, ne serait-ce qu'à côté du mouvement lourd de sa mâchoire quand il articulait les noms de Philadelphie, Boston, Greenwich Village…

Même le poème où le Kremlin brejnévien était décrit comme un zoo d'animaux préhistoriques n'eut pas le succès escompté. Médiocres acteurs, nous jouions à l'Occident et lui, en metteur en scène (un vrai Stanislavski !), nous jaugeait, prêt à lancer le célèbre et terrible verdict : « Je n'y crois pas ! » Et c'eût été juste, nous étions des Occidentaux peu crédibles, cette nuit-là.

Trop impatients. Le rideau de fer avait l'air de devoir durer éternellement. L'arrachement de notre pays au reste du monde avait l'évidence d'une loi naturelle intangible. Notre jeunesse n'était qu'une seconde, une poussière face à ce règne millénaire. Nous ne supportions plus d'attendre.

D'autant que tous les éléments de l'Occident étaient en notre possession : ces poèmes irrespectueux, cette peinture abstraite novatrice, cette jouissance sans complexes, les auteurs occidentaux interdits et qu'on achetait au marché noir, les langues de l'Europe et d'ailleurs que nous parlions, la pensée occidentale que nous nous évertuions à connaître. En alchimistes pressés, nous mélangions toutes ces matières pendant nos nuits de beuverie et de déclamations. La quintessence de l'Occident allait naître. La pierre philosophale qui transformerait *Le Zoo Kremlin* en chef-d'œuvre mondial et son auteur en classique vivant acclamé de New York à Sydney, qui porterait cette toile couverte de carreaux orange vers la coquille de Guggenheim...

Une jeune femme très ivre se laissa tomber sur le matelas défraîchi, à côté de moi. Avec un large sourire humide, elle essayait de me parler à l'oreille mais ne maîtrisait plus son élocution. Deux prénoms masculins revenaient dans son bafouillis. Je devinai plus que je ne compris : deux hommes étaient en train de faire l'amour dans la pièce voisine et cela lui paraissait « tordant » parce qu'on entendait en même temps les gémissements du couple derrière les tableaux. Je fis mine de pouffer pour répondre à son rire mais soudain son visage se figea, elle baissa les paupières et des larmes très fines, très rapides se mirent à couler sur ses joues. Le chuchotement rêche du chanteur de jazz continuait à promettre un aveu très important, sans lequel il serait impossible de vivre.

La femme cessa de pleurer, me regarda avec défi et se déplaça vers le fauteuil de l'Américain. « Very big gallerist... », disait celui-ci. Un peintre l'écoutait en hochant sans arrêt la tête. Son verre tremblait fortement dans sa main. La jeune femme ivre grimpait sur l'accoudoir du fauteuil avec l'obstination d'un insecte.

Une nuit qui n'arrivait pas à démarrer...

Curieusement, la copie de l'Occident que nous mettions en scène était, à certains égards,

plus vraie que l'original. Plus dramatique surtout.
Car la liberté de ces nuits ne restait pas toujours
impunie. Bien des années après, j'apprendrais
que l'auteur du *Zoo Kremlin* paya son poème de
cinq ans de camp et que l'un des homosexuels,
emprisonné (car la loi poursuivait ce vice), fut
battu à mort par ses voisins de cellule. Je penserais à cet amant malheureux quinze ans plus tard,
à Paris, dans les rues du Marais : l'abondance
d'hommes musclés et bronzés aux terrasses des
cafés, leur air satisfait, on eût dit de grasses pou-
pées gonflables masculines faisant montre de
leurs biceps et de la normalité conquise. Je me
rappellerais qu'on avait achevé l'homosexuel
de l'atelier leningradois en l'embrochant sur un
tuyau, de l'anus jusqu'à la gorge…

Notre Occident d'opérette avait, tout compte
fait, son poids de vérité.

Mon amie sortit de derrière les toiles, traversa
la pièce encombrée de corps, de restes de nourri-
ture, de bouteilles et s'installa sur une caisse rem-
plie de livres. Malgré le mélange de dégoût et de
jalousie, je ne sus réprimer un sursaut d'admiration : comme elle jouait bien, mieux que les comé-

diennes de Godard! Un corps lascif, une bouche au maquillage flou et un regard irréprochablement indifférent qui glissa sur moi. Et déjà elle répondait à quelqu'un, acceptait un verre, jouissant de cette sollicitude très particulière que les hommes accordent aux femmes… « en chaleur », pensai-je méchamment. « Pas de jalousie, pas de jalousie. Tu es ridicule, espèce d'ours sibérien », répétait en moi une voix, analgésique. Je vis qu'elle avait enlevé son collant. Ses jambes nues, pâles, me parurent soudain étonnamment juvéniles, touchantes avec cette peau blonde que rien ne protégeait et avec la configuration des grains de beauté que je reconnaissais. J'éprouvai une pitié très vive, j'étais prêt à aller couvrir ces jambes avec mon manteau…

C'est alors que nous constatâmes que le journaliste américain dormait. Il s'était assoupi depuis déjà un moment, en inclinant légèrement la tête, et nous avions continué à lui parler, prenant son sommeil pour une pose de profonde méditation. Nous lui parlions en attendant son approbation ou son « Je n'y crois pas! » à la Stanislavski. S'il avait ronflé nous aurions éclaté de rire, l'aurions taquiné. Mais il dormait comme un bébé, les

paupières sagement plissées et les lèvres en petit
ovale de respiration. Il y eut une seconde d'embarras. Je me levai, j'allai dans la cuisine. En passant derrière les tableaux, je vis l'homme (c'était
un peintre) qui venait de faire l'amour avec ma
récente amie. Il était en train d'essuyer son sexe
avec un torchon qui sentait la térébenthine… Le
journaliste américain finit par se réveiller et de
la cuisine j'entendis son « So… » suivi d'un vigou-
reux bâillement et des esclaffements soulagés des
autres.

La cuisine (en fait, le prolongement du
même grenier, avec un évier à l'émail écaillé)
n'avait qu'une seule fenêtre, une étroite lucarne
plutôt, encombrée de vivres enroulés dans des
bouts de journaux. La vitre, cassée en diagonale,
laissait filtrer une fine poussière de neige. Les derniers froids de l'hiver.

À cet instant-là, j'eus la sensation de vivre
exactement ce que je voulais depuis longtemps
écrire : l'acidité piquante de la neige, un vieil
immeuble dans une ville nocturne au bord de
la Baltique, ce grenier, la solitude absolue de ce
jeune homme que j'étais, la proximité des voix si

familières, si étrangères, la dispersion rapide dans le froid de ce qu'était mon amour pour une femme qui, à ce moment même, était en train de s'ouvrir aux caresses d'un autre, la parfaite insignifiance de cette fusion charnelle et sa gravité irrémédiable, la fugacité dérisoire de notre passage dans les villes, dans la vie d'autrui, dans le vide.

Quelque chose m'empêchait de l'exprimer comme j'aurais voulu. « Le régime ! », disions-nous pendant nos nuits clandestines. La Planète Niet. En écoutant les autres, j'avais fini par m'en persuader. Le Zoo Kremlin émoussait le ciseau du sculpteur, décolorait les toiles, entravait les rimes. La censure, la pensée unique, le diktat idéologique, disions-nous. Et c'était vrai.

Pourtant, cette nuit-là, posté devant la lucarne aux vitres cassées, je commençai à en douter. Car aucune censure ne m'interdisait de dire cette fine poussière de neige, la solitude, trois heures du matin dans l'obscurité d'une ville endormie au bord de la Baltique. La Planète Niet me parut alors un argument un peu facile. Se plaindre du régime, ne pas écrire, ou écrire uniquement pour s'en plaindre. Je devinai là le cercle vicieux de la littérature dissidente.

Je ne pouvais pas imaginer (personne parmi les invités du Wigwam ne le pouvait) que dix ans plus tard la Planète Niet se mettrait à se fissurer, que quinze ans plus tard elle éclaterait, perdant ses alliés, ses vassaux, ses frontières et jusqu'à son nom. Et qu'on pourrait alors écrire tout ce qu'on voudrait sans craindre la censure. On pourrait rester sous la lucarne cassée d'un grenier, dans la nuit d'une ville endormie, sentir le poudroiement neigeux sur son visage réchauffé par le vin, songer à la fugacité de notre passage dans la vie des autres…

Mais dans cet avenir, tout comme ce fut par le passé, il serait aussi difficile pour un poète de dire ces choses simples que sont l'amour pour une femme qui n'aime plus, la neige par une nuit de mars, la buée d'une respiration qui se dissipe dans le froid et qui nous fait penser : «ma vie», ce léger voile d'angoisse et d'espoir.

Dans quinze ans, le régime ne serait plus, mais les strophes n'en deviendraient pas plus faciles à naître, ni les poèmes plus lus. Nul journaliste américain pour écouter ces vers déclamés par des poètes éméchés, aucun danger pour les téméraires. Et même les gémissements derrière les tableaux inachevés perdraient leur saveur miaulante et provocatrice.

Durant cette nuit des derniers froids, je crus comprendre le paradoxe agaçant de l'art sous un régime totalitaire. « La dictature est souvent propice à la tragique naissance des chefs-d'œuvre... »

« Tu sais, quand il n'y a pas un mirador ou une potence en vue, le poète s'embourgeoise... » C'était Arkady Gorine qui parlait ainsi. Une bouteille d'alcool à la main, il vint me rejoindre à la cuisine et, comme cela arrive aux hommes soûls, nous avions l'impression de parler d'une même voix, devinant nos pensées, les transmettant par la télépathie propre à cette ivresse vitreuse du petit matin. « En Occident, je serai frappé d'une impuissance poétique, tu verras..., ajouta-t-il avec un soupir tragi-comique.

– Et qu'est-ce qu'ils font là-bas ? », demandai-je, lui coupant la parole.

Il aurait pu comprendre : là-bas, en Occident. Mais l'alcool aidant, il sut qu'il s'agissait des gens que nous venions de quitter.

« Là-bas, Choutov lit la deuxième partie de son *Zoo Kremlin* mais personne n'écoute car ton amie rebaise derrière l'art non figuratif. Avec l'Américain. Il utilise un préservatif d'un joli bleu pâle. J'ai entendu dire qu'en Occident ils ont aussi des préservatifs qui ont la senteur de fruits et même leur goût. Je ne sais pas si l'Américain... Excuse-moi, je ne voulais pas te... Tu veux que j'aille casser cette bouteille sur la tête de ce gros requin impérialiste ? Bon... Alors, on s'en va ! »

Et il ajouta, déjà dans la rue : « Après-demain je serai à Vienne, mais tu vois, je sais que ce qui va me manquer c'est cette neige qui vole autour des réverbères et ces rues sales et ces entrées d'immeuble qui sentent la pisse de chat. »

Soudain, il se mit à crier en agitant les bras, en renversant la tête : « Je suis heureux ! Je fous le camp ! Je quitte ce pays merdique, je vais habiter en Occident ! Des billets de banque vont craquer entre mes doigts fins d'intellectuel, des billets plus verts que l'arbre de la vie... Je suis libre ! Je déteste les esclaves qui habitent par ici ! »

En fait nos voix n'en faisaient qu'une dans cette gueulade nocturne. Elles narguaient les fenêtres noires des immeubles, le sommeil de tous ces « esclaves » du régime, des lâches qui n'osaient crier, comme nous, hurler leur dégoût.

Et qui par leur résignation consolidaient la société carcérale dans laquelle nous vivions. Ils étaient nos ennemis. Cette nuit de mars, ivres comme nous l'étions, nous y croyions. Cela nous permettait d'oublier notre échec : à lui, ses adieux ratés avec le Wigwam, à moi la configuration des grains de beauté sur les jambes de la femme que j'aimais et que je venais de perdre.

Nous retrouvâmes ces ennemis dans le premier train de banlieue en direction de Leningrad. Ils étaient tous là, un tassement compact, indifférencié, magma de visages renfermés, de corps engourdis par la somnolence, de vêtements grossiers sans fantaisie aucune. Ce n'étaient même pas les prolétaires glorifiés par l'idéologie, ces «masses travailleuses» représentées à tous les coins de rue sur d'énormes affiches de propagande. Non, c'était une sous-classe d'humbles rouages du système : des femmes âgées qui allaient gratter avec des brosses métalliques la crasse des fabriques enfumées, des hommes qui allaient remplir des wagonnets avec des rebuts rouillés ou se traîner, par moins trente, autour des clôtures en béton des usines, un vieux fusil à l'épaule. Des créatures invisibles durant la journée et qu'on remarquait juste dans l'obscurité encore nocturne d'un matin d'hiver, dans ce tout premier train de la journée.

Nous restions debout pour mieux les observer. L'agressivité de nos braillements de tout à l'heure se mua en un chuchotement venimeux. Devant nous, serrés sur les banquettes, ils formaient le tableau vivant de ce que le régime pouvait faire d'un être humain : lui enlever toute individualité, l'abêtir à ce point que, de son propre gré, il lisait la *Pravda* (plusieurs journaux étaient ouverts ici ou là), mais surtout lui enfoncer dans le crâne l'idée de son bonheur. Car qui parmi ces rouages ensommeillés ne se serait pas reconnu heureux ?

« T'as vu comment ils sont tous sapés ? ricana Arkady. On pourrait les envoyer dès maintenant creuser des tranchées, si les Allemands revenaient, ou droit dans les camps, ils n'auraient même pas besoin de se changer.

– Dans les camps ? Ils ont plutôt l'air d'en sortir », ajoutai-je, en imitant son ton.

« Mais surtout, si au lieu d'aller à Leningrad, on commençait à tracter ce fichu tortillard vers la Sibérie, personne n'oserait demander pourquoi... »

Soudain, nous vîmes les mains de cet homme.

Il tenait une *Pravda* ouverte en la serrant fortement avec ses pouces et ce qui lui restait des mains : des moignons privés des quatre autres doigts.

J'entendis Arkady toussoter, puis prononcer d'une voix sourde, un peu bafouillante : « Un mitrailleur... Tu sais, il y avait cette grosse mitrailleuse pendant la guerre, avec un bouclier qui protégeait la tête des éclats, mais les poignées laissaient les mains complètement découvertes, sauf le pouce, caché par l'acier. Et quand une giclée d'éclats arrivait... »

L'homme, très adroitement, tourna la page avec ses moignons.

Nous regardâmes les mains des passagers. Elles se ressemblaient beaucoup. Mains d'hommes, mains de femmes, presque pareilles, lourdes, aux articulations gonflées par le travail, marquées d'une teinte sombre, celle des rides noircies de cambouis. Certaines de ces mains serraient un livre ou un journal, d'autres, posées sur les genoux, la paume vers le haut, semblaient dire quelque chose de simple et de grave par leur immobilité. Les visages, parfois aux paupières closes, reflétaient aussi cette gravité calme.

L'homme à la *Pravda* plia son journal et, tel un prestidigitateur mutilé, le fourra dans la poche de son manteau. Le train s'arrêta, il descendit.

« Finalement, murmura Arkady, c'est grâce à ces gens-là que nous pouvons lire nos poèmes r-r-révolutionnaires et baiser avec des préservatifs qui sentent les fruits exotiques. Grâce à leurs guerres, à leurs doigts arrachés… »

Je ne répondis pas, songeant que parmi ces vieux passagers il y avait sans doute ceux qui, dans leur jeunesse, avaient défendu Leningrad pendant le siège. Les mêmes personnes sous les obus, durant plus de deux ans, dans les appartements glacés, dans les rues balisées de cadavres. À l'époque, ils travaillaient peut-être dans les mêmes usines où ils se rendaient à présent. Sans accuser personne. Sans se plaindre. J'avais toujours pris cette résignation pour la servilité que le régime savait si bien imposer. Dans ce train de banlieue, pour la première fois, je crus y discerner autre chose.

Les portes des wagons s'ouvraient, les gens sortaient dans le noir balayé par la neige, disparaissaient dans l'ombre des longues murailles de briques brunes.

À l'approche de Leningrad, l'aspect des voyageurs changea. Mieux habillés, plus jeunes, plus volubiles. Nos contemporains. Seule semblable aux passagers du train, cette vieille femme dans le métro, comme égarée, qui avait hâte de se perdre au croisement des couloirs.

« Nous, on va se barrer, à Boston ou à Londres, dit Arkady avant de me quitter. Ici également, on finira par produire des préservatifs parfumés. Mais les vieillards avec leurs doigts arrachés ne seront plus là. Et tant mieux pour eux. Je pars demain. Si tu as un chef-d'œuvre à passer en Occident... »

Je recevrais de lui trois lettres, à peu près à cinq ans d'intervalle, envoyées d'Israël puis, neuf ans après, une carte, postée à New York. La première lettre annonçait la naissance de sa fille. La deuxième m'informait que l'enfant apprenait le piano. La troisième (son écriture avait beaucoup changé) disait que l'adolescente avait été blessée dans un attentat et avait perdu trois doigts de la main gauche. En apprenant cela, je penserais bêtement au mitrailleur qui lisait la *Pravda*. La stupidité des coïncidences qui viennent tou-

jours au bon moment pour démontrer l'absurdité inhumaine des activités de l'homme. Je penserais aussi au monstrueux mélange de bonheur
et de déchirement que devaient éprouver les
parents d'une enfant que tout le monde considérait comme épargnée.

La carte de New York disait : « Si, il y a
quinze ans, j'avais pu imaginer celui que je suis
devenu aujourd'hui, je me serais pendu au gros
tuyau de la chasse d'eau dans les chiottes du Wigwam. Tu te souviens, ce tuyau dont la rouille des-
sinait sur le mur la tête de Méphisto ? »

Moi, cette coulée de rouille me faisait plutôt penser à un voilier avec un mât infiniment
long.

D'ailleurs, c'est en me quittant dans le métro
de Leningrad qu'Arkady me proposa ce travail, un
engagement qu'il ne pouvait plus tenir à cause de
son départ : aller dans la région d'Arkhangelsk,
écrire une série de textes sur les us et coutumes
locaux. « En province, tu sais, il leur faut toujours
un universitaire de Moscou ou de Leningrad. C'est
pour leur album commémoratif. L'anniversaire de
leur ville ou une fête folklorique, je n'en sais rien.
Vas-y, tu noteras quelques bobards sur les gnomes

de leurs forêts mais surtout il y aura plein de matière pour ta satire antisoviétique… Je pars très tôt, ne te dérange pas pour venir à l'aéroport. »

Au mois d'août de la même année, je me retrouvai dans le village de Mirnoïé, à quelques pas d'une femme qui venait de retirer un filet de pêche. Une femme qui attendait l'homme qu'elle aimait.

3

Ce jour-là, je la croisai au même endroit que la première fois, dans la saulaie qui bordait le lac. Les branches avaient déjà perdu leurs feuilles, l'argile rouge de la berge était toute striée de cet or éteint. Vêtue de son vieux manteau de cavalier, chaussée de grosses bottes, elle poussait une barque envasée parmi les piquets des joncs. Une barque trop large, trop lourde pour être conduite à la rame, destinée sans doute à une navigation à voile. Mais peut-être la seule qui restait par ici en état de flotter.

« Je peux vous aider ? »

Elle se redressa, me sourit distraitement, comme à travers un verre dépoli de souvenirs, acquiesça.

Après quelques efforts que nos corps rythmèrent, la barque glissa dans l'eau, devenant instantanément légère, dansante. Je retins son bord pour laisser Véra monter, grimpai à mon tour, voulus prendre une rame.

« Je vais le faire, me dit-elle doucement. Il y a trop de vent, il faut s'y connaître. Prenez-la plutôt... »

La ? Je vis, posé sur les planches de la banquette arrière, un long paquet dans un gros cocon de bure. Sa forme ne trahissait aucun contenu particulier et pourtant inspirait une obscure inquiétude. Je le soulevai, étonné de son poids, regardai Véra qui déjà amenait la barque loin de la rive, contre le vent.

« C'est Anna, m'expliqua-t-elle. Elle est morte il y a trois jours. Vous étiez parti au chef-lieu... »

Anna, la vieille que j'avais vue, début septembre, sortir de la maisonnette des bains, accompagnée de Véra.

Je m'installai, équilibrai le corps de la défunte sur mes genoux, le serrai maladroitement comme font les hommes qui n'ont pas d'enfants quand ils portent le bébé qu'on leur confie.

Le vol très rapide des nuages faisait de cette journée une alternance syncopée de crépuscules et d'ensoleillements, d'éclats printaniers et de rechutes automnales. Quand le ciel se marquait de plomb, je prenais conscience d'étreindre un cadavre, puis dans l'éblouissement des rayons, un déraisonnable revif d'espoir m'ébranlait : « Non, ce que j'ai dans mes bras est encore de notre monde, encore inséparable de ce soleil, de la fraîcheur âpre des vagues... »

Vers le milieu du lac, la houle devint insistante, la barque tangua, l'écume se mit à blanchir le bord exposé. J'enserrais à présent ma charge comme j'aurais fait avec n'importe quel autre fardeau. Véra tirait fortement sur les rames, repoussant l'eau grise qui se fendait avec la pesanteur d'une gelée. Je regardais ce corps féminin qui se penchait en avant, puis se rejetait, jambes tendues, la poitrine et le ventre offerts dans un puissant élan physique. Sous le tissu grossier de son manteau, j'aperçus le col très fin, en dentelle, d'un chemisier clair... Une vague frappa le bord plus rageusement, je dus soulever celle que je tenais dans mes bras, la hisser vers mon visage comme si, frappé de douleur, je n'avais pas voulu me séparer d'un être aimé.

C'est durant cette traversée, longue finalement d'à peine une demi-heure, que j'eus le premier doute sur la vraie raison de mon attachement pour ce village du Nord.

Au bout de quelques semaines, j'avais compris
que ma chasse aux coutumes et aux légendes
locales aurait pu très bien se faire dans les biblio-
thèques d'Arkhangelsk. Tout ce folklore des rituels
nuptiaux ou funéraires était depuis longtemps
répertorié dans les livres. Tandis que sur place,
dans les villages presque vides, la mémoire des traditions se perdait, faute de pouvoir se transmettre.

Cet oubli du passé se remarquait encore plus
à Mirnoïé où vivaient, pour ainsi dire, des expa-
triées, ces vieilles femmes chassées de chez elles
par la solitude, les maladies, l'indifférence des
proches. Répondant à mes questions, elles faisaient des récits touchants de leurs propres mal-
heurs. Et de la guerre. C'est elle en fait qui avait
effacé du souvenir populaire toutes les autres
légendes. Pour ces vieilles habitantes de Mirnoïé,
elle devenait le seul mythe, vivace et personnel,
et où les divinités, bonnes ou méchantes, étaient
leurs maris et fils, les Allemands et les soldats

russes, Staline et Hitler. Et plus singulièrement, le soldat qu'attendait Véra.

Comme dans tous les mythes nouveau-nés, les rôles des dieux et des démons n'étaient pas définitivement fixés. Les Allemands, haïs viscéralement, passionnément, apparaissaient soudain sous la physionomie mélancolique d'un cuisinier nommé Kurt. Zoïa, grande vieille aux traits d'icône brunie par l'âge, l'avait rencontré dans un village occupé, près de Leningrad, où elle vivait pendant la guerre. Cet Allemand-là apportait, en cachette, des restes de repas aux enfants du village… Dans la mythologie locale sa place égalait celle d'un Hitler ou d'un Joukov.

Je finis par désespérer d'enregistrer des chœurs nuptiaux, des chants célébrant la naissance ou la mort. Le seul refrain que j'entendais sur ces vieilles lèvres disait le départ des soldats du cru qui, paraît-il, avaient empêché la jonction des troupes nazies et de l'armée finlandaise du maréchal Mannerheim. Ainsi le blocus de Leningrad n'était pas devenu total. Les vivres arrivaient dans la ville assiégée par le couloir que les hommes de cette contrée avaient pavé de leurs cadavres. Étaient-ils tous originaires du pays ? Et de Mirnoïé ? J'en doutais. Mais en regardant les vieilles femmes du village, je comprenais qu'il ne leur restait que ce maigre bonheur-là : croire que grâce à leurs maris, frères ou fils Leningrad n'était pas tombé.

Avant de venir à Mirnoïé, j'appelais cela « propagande officielle ». Je voyais à présent que la définition était un peu courte.

Mon projet d'écrire une satire se révéla, lui aussi, difficile à réaliser. J'aurais voulu parler du système ubuesque des kolkhozes, de l'ivrognerie généralisée au son des haut-parleurs qui transmettaient des slogans édifiants. Mais les villages étaient tout simplement abandonnés ou moribonds, réduits à un mode de survie à peine différent de l'âge de pierre. Je parvins à trouver un alcoolique très typé dont le personnage se serait très bien prêté à l'humour de la prose dissidente. Une maison vidée par ses dépenses d'ivrogne, sa femme, jeune encore, qui paraissait vingt ans de plus et dont le visage portait une éternelle grimace d'aigreur, ses quatre enfants, silencieux, résignés à vivre avec cet homme qui rampait, vomissait, sanglotait et qu'il fallait appeler « papa »...

J'étais en train de terminer la première page de

ce récit quand j'appris que l'ivrogne s'était pendu. Avec Otar nous venions d'arriver dans le village où la famille du suicidé habitait. La milice et le juge d'instruction étaient déjà là. L'homme avait mis fin à ses jours dans une remise, en accrochant la corde à la poignée de la porte. Il était presque assis, la tête soulevée comme dans un éclat de gros rire. Ses enfants, que personne n'avait pensé à emmener, le regardaient fixement, sans pleurer. Le visage de sa femme semblait même détendu. Sur les murs de la remise étaient accrochés des outils d'autrefois, solides et inspirant la confiance malgré la rouille. Des grosses pinces, de lourds vilebrequins, des assemblages de fer dont on avait depuis longtemps oublié le nom et l'usage... L'un des enfants recula soudain, puis se mit à courir à travers un large terrain en friche hérissé d'herbes jaunies.

Non, ce n'était pas vraiment la matière pour un récit satirique.

J'avais compté découvrir, dans ce coin perdu du Nord russe, le condensé de l'époque soviétique, la caricature de son temps à la fois messianique et stagnant. Mais le temps était tout simplement absent de ces villages qui semblaient vivre après la disparition du régime, après la chute de l'empire. Je me promenais en fait à travers une sorte de prémonition futuriste. Les marques de l'Histoire s'étaient effacées. Restaient les lamelles dorées des feuilles de saule sur la surface noire du lac, les premières neiges qui venaient d'habitude la nuit, le silence de la mer Blanche qu'on devinait derrière les forêts. Restait cette femme, en long manteau militaire, qui longeait la rive, s'arrêtait près de la boîte aux lettres, au croisement des chemins. Restait l'essentiel.

Pendant les premières semaines de ma vie à Mirnoïé, je n'osais pas le reconnaître.

Puis, par un après-midi de septembre traversé de percées de lumière et de brefs crépuscules, je me retrouvai dans une lourde embarcation, toute noire d'âge, serrant dans mes bras une vieille femme morte que mon corps réchauffait.

À l'approche de l'île, le vent s'apaisa et nous descendîmes sur une berge ensoleillée, estivale, n'eût été l'herbe brûlée par le froid.

« Autrefois, on y venait à pied, ce n'était pas une île, juste une colline, m'expliqua Véra, en portant avec moi le corps d'Anna. Mais quand il n'y a plus eu personne pour réparer les digues, le lac a doublé de surface. On dit qu'un jour la mer viendra jusqu'ici… »

Sa voix me frappa. Une voix infiniment seule au milieu de l'étendue des eaux.

Le soleil déjà bas, rasant, rendait notre présence irréelle, doublée d'une finalité secrète. Nos ombres se couchèrent loin à travers le cimetière bosselé de tertres, rayèrent le crépi écaillé de la petite église. Véra poussa la porte, disparut, revint en portant un cercueil… Les parois de la tombe laissaient voir une multitude de racines coupées. « Comme autant de vies interrompues. »

Je me le disais faute de pouvoir saisir le sens de ce qui se passait devant moi. Un simple enterrement, bien sûr. Mais aussi notre silence, le grand vent qui se coupait sur la croix de l'église, les cognements très banals du marteau. J'eus peur que Véra ne me demandât de clouer le cercueil, la peur dérisoire de rater mon coup, de tordre un clou… Et cette pensée quand, à l'aide des cordes, nous le descendîmes en terre : cette morte que j'ai réchauffée en la serrant dans mes bras est en train d'emporter une part de moi-même, mais vers où ?

Le retour, avec le vent dans le dos, était

facile. Quelques mouvements de rames que Véra répétait lentement, comme dans l'oubli. Son corps se reposait et ce repos me rappela, à un moment, le relâchement d'un corps qui vient de se donner et d'aimer.

Pendant plusieurs semaines encore, je parviendrais à me convaincre que je restais dans cette contrée du Nord uniquement pour glaner quelques trouvailles folkloriques. « En plus, à Mirnoïé, on est peinard, me disais-je, pas de loyer à payer, la moitié des maisons sont inoccupées, on entre, on s'installe, c'est vraiment le communisme ! »

Le temps de Mirnoïé, ce temps planant, suspendu, m'aspira peu à peu. Je me fondis dans l'insensible coulée de lumières d'automne, une durée qui n'avait d'autre but que l'or flétri des feuilles, que la fragile dentelle de givre, tôt le matin, sur la margelle d'un puits, que la chute de cette pomme, d'une branche nue, dans un silence si décanté qu'on entendait le froissement de l'herbe sous le fruit tombé.

Tout était à la fois grave et léger dans cette vie oubliée par le temps. L'enterrement d'Anna, ce jour funèbre et pourtant empreint aussi d'une luminosité aérienne, d'une sérénité neuve. À côté de sa tombe, cette autre croix, le nom d'un certain Vassili Drozd et cette inscription inégale, taillée au couteau : « Un homme bon ». Autour de cet « homme bon », un pointillé de camomilles protégées du vent par la terre de la tombe. Et la voix très simple de Véra : « La prochaine fois, j'apporterai sa croix à elle. »

Souvent, en la voyant quitter Mirnoïé ou y revenir, je répétais : « Voilà une femme qui attend depuis trente ans… » Mais le ton de tragédie et de désespoir dont je chargeais ces paroles ne parvenait pas à les rendre définitives. Presque chaque matin, Véra s'en allait à l'école où elle enseignait, sur l'autre rive du lac. D'habitude, elle longeait la berge, mais quand les crues coupaient les chemins, je la voyais parfois monter dans la vieille barque. Je la suivais du regard, je me disais : « Une femme qui a fait de sa vie une attente infinie… » Un bref abîme s'ouvrait en moi mais sans l'effroi que je pressentais.

D'ailleurs rien de singulier ne trahissait chez Véra cette terrible attente. « Finalement, il y a tant de femmes seules, ici ou ailleurs », l'unique argument que je trouvai pour justifier la banalité avec laquelle cette vie sacrifiée se laissait penser. « Beaucoup de femmes seules qui, par courage ou par pudeur, ne font pas montre de leur peine. Des femmes comme Véra, à quelques années d'attente près… »

Même la boîte aux lettres au croisement des routes perdit peu à peu, à mes yeux, sa signification de tueuse d'espoir. C'est Zoïa, la vieille la plus vaillante, qui allait la plupart du temps récupérer le courrier. Les autres préparaient cet aller-retour, tel un lointain périple, et attendaient Zoïa comme si chacune d'elles allait à coup sûr recevoir une lettre. Rien d'habitude. Parfois une carte adressée à celle qui n'était plus là… Quand je croisais Zoïa dans son équipée de facteur, je lui demandais de me rapporter une belle lettre d'amour. Elle souriait avec malice et annonçait : « Ça ne va pas tarder, on est train de couper le bois, de quoi faire du papier pour votre lettre. Attendez un peu ! » Elle reprenait son chemin et, une heure après, rentrait, le journal local plié sous le bras. Il m'arriva de le lire : même cette actualité, géographiquement si voisine de Mirnoïé, semblait provenir d'un autre monde, d'une époque où le temps existait.

4

La ville la plus proche où le temps coulait encore était le chef-lieu du district. J'y fis connaissance avec un cercle de l'intelligentsia locale : le directeur adjoint de la Maison de la culture, la jeune directrice de la bibliothèque municipale, le chirurgien de l'hôpital, une infirmière, deux enseignantes (le dessin et l'histoire), le reporter du journal *La Voie de Lénine* et quelques autres.

J'étais étonné, et non, de découvrir qu'ils avaient leur « Wigwam » à eux, leur cercle de dissidence se rassemblant dans la grande isba du directeur adjoint. Le même rejet du régime échauffait leurs discussions. Seulement si, à Leningrad, nous fustigions surtout le Zoo Kremlin et ses dinosaures, ici, les monstres à abattre étaient le secrétaire du comité local du Parti et le rédacteur en chef de *La Voie de Lénine*. Dans leurs débats tardifs et bien arrosés, ce dernier était comparé à Goebbels...

La place qui me fut attribuée était plus qu'enviable : je venais de la capitale intellectuelle du pays, de la seule ville véritablement européenne de l'empire, donc j'étais un quasi-Occidental. Mon rôle dans leurs soirées ressemblait à celui que le journaliste américain jouait dans notre Wigwam leningradois. Toutes les mises en scène contestataires et amoureuses recherchaient, ici, mon approbation. Une fois (le reporter était en train de comparer le rédacteur en chef à Goebbels), je pensai méchamment que, hélas, je ne pouvais pas leur offrir des préservatifs au goût de fruits exotiques.

J'étais un Occidental de paille.

À la fin du mois de septembre, chaque soir je me préparais à quitter Mirnoïé dès le lendemain matin. Et je restais. Je me persuadais qu'il me fallait absolument assister à ce rituel de mariage que les vieilles femmes me promettaient de mimer un jour. « Quel malheur, disaient-elles, qu'Anna ne

soit plus de ce monde. C'était elle notre soliste.
Nous, on ne connaît que les refrains. » Le rituel,
strictement du terroir, selon elles, était simple. Le
fiancé amenait son élue sur la colline où se trouvait l'église – dans une carriole si le passage vers
l'île était guéable, dans une barque si les crues
inondaient les prés. Seul maître des rênes ou
des rames à l'aller, il invitait sa jeune épouse à
conduire avec lui au retour. « Tant que je n'ai pas
écouté le chant d'accompagnement, je ne peux
pas m'en aller… » Souvent, j'essayai ainsi de me
justifier.

Jusqu'à ce jour-là, peut-être. Une journée
d'épais brouillard, la silhouette mate d'une femme,
debout dans une barque. Véra qui rentrait au
village. Je saisis le bout de la longue rame qu'elle
me tendit, l'aidai à tirer le nez de la barque sur
l'argile de la rive. Et perçus que dans le brouillard
glaçant qui nous enveloppait le bois de la rame
gardait la chaleur de ses mains. Je ne m'étais
encore jamais senti aussi proche de cette femme.

Le lendemain, toujours dans la cécité coton-
neuse du brouillard, Otar qui m'avait pris en auto-
stop à la sortie du chef-lieu perdit le chemin. Il

voulut me montrer un village abandonné, une église en bois et, en quittant la route, nous nous retrouvâmes dans une blancheur dense, mécheuse, qu'une branche perçait parfois pour fouetter le pare-brise. Les roues du camion patinèrent, s'emballèrent en creusant des ornières de plus en plus profondes d'où giclait la boue. Nous tournions, reculions, avancions à tâtons, mais le terrain paraissait composé partout de la même tourbe gorgée d'eau. Les arbres surgissaient devant nous avec un entêtement onirique de fantômes.

Otar finit par arrêter le moteur, descendit, disparut, revint au bout d'une minute : « Non, dans une bouillie pareille, mieux vaut ne pas bouger. J'étais là, à deux mètres, je ne voyais plus le camion... On va plutôt boire un bon coup. Et attendre, vers le soir le vent va se lever... »

Nous bûmes, d'abord la moitié d'une bouteille de vodka qu'il gardait sous son siège, puis une bouteille de vin géorgien, « seulement parce que tu es un homme qui sait écouter », précisat-il. La chute du jour colora le brouillard de bleu et cet assombrissement correspondait agréablement à notre ivresse. À son habitude, Otar parla de femmes mais fut interrompu par l'apparition prudente et renifleuse de quatre sangliers : une mère et ses trois petits. Perdus sans doute, eux aussi, dans ce blanc givrant. Ils humèrent les roues du camion, puis se sauvèrent, suivis de nos esclaffements.

« À propos, j'ai une histoire sur les cochons, enchaîna Otar. Une blague vraiment cochonne. Il y a donc un Russe, un Géorgien et un Azerbaïdjanais qui rentrent dans leur village, après une sacrée cuite. Et tout à coup, une grosse truie leur coupe la route et s'enfuit. Elle veut passer dans le trou d'une clôture, mais son gros cul reste coincé. Elle gigote, couine, agite sa queue. Le Russe regarde ce gros derrière et dit : "Ah, si seulement c'était Sophia Loren !" Le Géorgien, lui, soupire : "Ah, si seulement, c'était la femme de mon voisin !" Et l'Azerbaïdjanais salive et gémit : "Ah, si seulement il faisait nuit !" Ha ! ha ! ha !… »

Nous rîmes à faire peur à tous les sangliers de la forêt, puis, le calme revenu, Otar garda longtemps le silence avec cette intuition d'homme ivre qui détecte soudain dans sa gaieté une part de fausseté et se rembrunit, se renferme sur les douleurs de la vie mises à vif.

Le brouillard fondit. À une centaine de mètres

du sous-bois où nous nous étions laissé piéger, se précisa le croisement des routes, le poteau avec la boîte aux lettres et, au-dessus d'elle, la petite pancarte avec le nom de Mirnoïé. Dans la lumière du couchant dépolie encore par des traînées de brume, l'inscription paraissait sortir du néant, tel un indicateur dans le chaos d'une planète déserte.

Je m'apprêtais à descendre quand Otar se mit à parler d'une voix sourde et triste que je ne lui connaissais pas : « Je veux te donner un conseil, tu es jeune, ça peut te servir. Dans l'amour, fais comme ce gros porc d'Azerbaïdjanais. Oui, pour ne pas souffrir, il faut être un porc. Tu vois une femelle, tu la baises, tu passes à la suivante. Surtout n'essaie pas d'aimer ! Moi, j'ai essayé, j'ai écopé de six ans de camp. C'est elle, ma foutue bien-aimée, qu'elle soit enculée cent fois par jour, qui m'a trahi, c'est elle qui a dénoncé mon affaire de peaux et de fourrures. Six ans de camp et quatre ans de liberté conditionnelle dans cette gadoue du Nord. Dix ans de vie de rayés. Mais à présent, basta ! Avec les femmes, je suis un porc, car elles sont toutes des truies. Tu l'embroches, tu la torches et : à qui le tour ? »

Il se tut, puis sourit aigrement : « Toi, tu es un artiste, il te faut du beau et du tendre. Mais n'oublie jamais ça : toutes les femmes sont des truies coincées dans un trou de clôture. Et celles qui ne le sont pas, celles-là souffrent. Comme elle... Comme Véra. »

Il repartit en trombe, l'eau remua dans les ornières, ensuite se figea, reflétant le brasier du couchant.

Au loin, sous le haut balancier d'un puits, je vis Véra. De longs filaments de brouillard, la percée écarlate du soleil bas, un silence profond et cette femme si étrangère aux paroles qui venaient d'être dites.

Ce qui me retenait à Mirnoïé c'était, peut-être, cette sensation d'étrangeté que je n'avais encore jamais éprouvée si intensément. Dans cet après-temps où vivait le village, les choses et les êtres semblaient se libérer de leur utilité et commençaient à être aimés pour leur seule présence sous ce ciel du Nord.

Quelle utilité à cette cueillette de champignons que nous entreprîmes, un jour, avec Véra ? Sans nous concerter, ni rien prévoir, comme tout ce qui se faisait ici. Nous savions que la récolte se réduirait à quelques bolets grêlés par les froids, à une douzaine de russules, fragiles comme du verre. Dans cette forêt, déjà à moitié effeuillée, nous marchions l'un près de l'autre, parlant peu, oubliant souvent les gestes de la cueillette. Et quand nous nous souvenions qu'il fallait écarter les fougères, soulever les feuilles mortes, nous y mettions un zèle excessif comme des fainéants pris en flagrant délit. Pendant ces sursauts, nous nous perdions de vue et très intensément je sentais l'éloignement de cette femme puis, après le craquement d'une branche, notre rapprochement. Parfois Véra apparaissait sans bruit, me prenant au dépourvu, plongé que j'étais dans la lente transfusion des froissements et des silences. De temps en temps, c'était moi qui la surprenait, toute seule au milieu des arbres. J'avais alors l'impression d'être un fauve guettant froidement une proie désarmée. Elle se retournait et, au premier instant, semblait ne pas me voir ou voir quelqu'un d'autre que moi. Nous reprenions notre vagabondage avec le sentiment de ne pas avoir osé un aveu.

En fait, le but de cette errance était de voir ce long manteau de cavalier que Véra portait, le gros tissu ocellé de minuscules feuilles jaunes et rouges. Voir ses yeux qui, après un oubli, recommençaient à répondre à mon regard. Entendre sa voix : « Par ce sentier, on peut aller jusqu'à la mer. Peut-être cinq ou six heures de marche. Si l'on partait maintenant, on arriverait au littoral vers minuit… »

Le but de cette vie à l'écart du temps était d'imaginer notre arrivée, en pleine nuit, sur les rives de la mer Blanche.

Ou encore, le soir de mon retour avec Otar, la fois où il parla des « porcs » et des « truies ». Une couche de glace très fine s'était formée au fond du puits (je venais de rejoindre Véra qui puisait de l'eau). La glace se rompit avec une sonorité de clavecin. Nous nous regardâmes. Chacun s'apprêta à dire la beauté de ce tintement, puis se ravisa. L'écho du clavecin s'était fondu dans la luminosité de l'air, se mêla à la plainte répétée d'un loriot, à la senteur du feu de bois qui venait de l'isba voisine. La beauté de cet instant allait tout simplement devenir notre vie.

Il y eut aussi cet aulne, le dernier à garder intacte son immense coiffe de feuillage cuivré. Il surplombait la berge à l'endroit où Véra accostait d'habitude. En naviguant, nous la voyions de loin, cette mouvante pyramide de lingots, et nous y veillions comme au dernier îlot d'été résistant à la nudité de l'automne.

Et puis, un matin, ce fut la buée de nos deux « Ah ! » qui se dissipa dans l'air – tout le feuillage, jusqu'au dernier petit rond de bronze, était tombé, pendant la nuit. Les branches noires dévêtues incisaient, telles des lézardes, le bleu cinglant du ciel. Nous nous approchâmes, sûmes retenir quelques phrases de circonstance (« C'était trop beau pour durer… »). Mais, descendant sur la berge, nous vîmes que toute cette splendeur cuivrée des feuilles avait reproduit sur l'eau la marqueterie qui s'était défaite dans le ciel. L'eau noire, lisse et cette incrustation rouge et or. Une mosaïque plus ample même et qui s'élargissait lentement sous la brise, devenant un dais renversé, prêt à recouvrir le lac tout entier. Le regard était entraîné par cette extension infinie. Une autre beauté se reformait, neuve et insolite, plus riche qu'avant, plus vivante après sa mort automnale.

C'est ainsi qu'avec mon langage d'alors je notais ces instants de lumière délivrés du temps. Je devinais qu'ils n'étaient pas de simples parcelles d'harmonie mais une vie à part entière. Celle que j'avais toujours rêvé d'exprimer. C'est à elle que je pensais devant la lucarne cassée du Wigwam. Ici, à Mirnoïé, cette vie pouvait être vécue, au jour le jour, avec la certitude que c'était exactement ce qu'on aurait dû vivre depuis toujours.

J'essayais de la retenir dans ces notes éparpillées entre les ébauches de prose satirique et les détails des rituels et des légendes.

Dans le même carnet, ce fragment-là, écrit un soir : « Pendant la nuit, un vent violent a chassé la barque vers le milieu du lac. Les routes sont impraticables, donc pour se rendre à l'école, Véra doit patienter, en espérant que le souffle venant de la mer ramènera la barque. La brise se lève, nous voyons notre esquif dériver lentement vers nous. Ailleurs, une telle attente me paraîtrait insupportable, ici ce bout de bois flottant mesure une durée faite du soleil, du froid vif, de la voix féminine qui, en paroles rares, se tisse dans l'air comme les accords distraits d'une mélodie. Et ces éclats de glace que nous brisons à la frange gelée de la berge. De complexes rosaces de givre à travers lesquelles nous nous amusons à regarder le ciel, le lac, nous-mêmes transfigurés par ces éventails de cristal. La glace fond, se casse dans nos doigts mais la vision du monde transfiguré reste encore quelques secondes dans nos yeux. À un moment, un froissement dans les saulaies de la berge nous surprend : la barque, poussée par le vent de la mer Blanche, vient d'accoster. Nous n'avons pas vu le temps passer. »

Parfois, très sincèrement, je me disais : « C'est une femme qui vit par ces rares instants de beauté. Que pourrait-elle offrir de plus à celui qu'elle aime ? » Dans une divination confuse, je comprenais alors que les vivre était pour Véra une façon de communier avec l'homme qu'elle attendait.

5

Cette nuit-là, je venais de noter dans mon carnet l'épisode de la barque…

À un moment, dans le silence décanté de minuit, se détacha un bruit mat, le claquement d'une porte, au loin. Je sortis et j'eus le temps de voir s'éclairer brièvement l'entrée de la petite isba des bains, sur la pente menant vers le lac. La porte se referma, mais l'obscurité n'était pas totale. La lune embusquée sous un bleu laiteux figeait les maisons et les arbres dans un guet soupçonneux, phosphorescent. Il faisait étrangement doux et aucun souffle ne passait dans la rue du village. La poussière de la route était argentée et moelleuse sous le pied.

Je me mis à marcher sans savoir où j'allais. Au début, probablement une simple envie de me fondre dans cette luminescence trouble, un peu théâtrale, qui rendait tous les sortilèges et les maléfices possibles. Mais très vite, avec une détermination de somnambule, je me retrouvai près de l'isba des bains.

La minuscule fenêtre, large comme deux paumes, était colorée d'un halo citronné, certainement une bougie. La senteur de l'écorce brûlée planait dans l'air, se mêlant à la fraîcheur amère des joncs et de l'argile humide de la berge. Une nuit tiède, un répit avant le déferlement de l'hiver. Le sentiment que ma présence ici était absolument déplacée et nécessaire à quelque chose d'inconnaissable. Les pensées qui venaient étaient brutes, incongrues : m'approcher de la petite fenêtre, espionner la femme qui était en train de savonner son corps ou, tout simplement, pousser la porte, aller vers cette femme, étreindre son corps glissant, insaisissable, le faire tomber sur les planches mouillées, le posséder…

Le souvenir de ce qu'était cette femme interrompit mon délire. Je me rappelai le jour où le vent avait emporté la barque, les éclats de glace à travers lesquels nous regardions le ciel, le visage de Véra irisé par les cassures du givre, son sourire vague, son regard qui me répondait à travers la parure glacée fondant entre ses doigts. Cette femme-là se trouvait au-delà de tout désir. La femme qui attendait l'homme qu'elle aimait.

La porte s'ouvrit à cet instant. Celle qui sortit était nue : elle quitta l'étuve et, debout sur le petit perron en bois, respirait maintenant la fraîcheur du lac. La luminosité mate de la lune faisait d'elle une statue en verre bleuté, révélant jusqu'au relief des clavicules, l'arrondi des seins, le galbe des hanches sur lesquelles brillaient des gouttes d'eau. Elle ne me voyait pas, un amas de bûches me cachait dans son ombre anguleuse. D'ailleurs, ses yeux étaient mi-clos, comme si tout ce qu'elle percevait venait de l'odorat, de l'instinct animal. Elle aspirait avec avidité, exposait son corps à la lune, l'offrant à la nuit, à l'étendue noire du lac.

Tout ce que j'avais pensé de cette femme auparavant, tout ce que je notais de sa vie paraissait insignifiant face à cette présence physique nue, aveuglante. Un corps capable de se donner, de jouir, immédiatement, naturellement. Rien ne s'y opposait, à part ce vieux serment presque légendaire : l'attente d'un soldat disparu. Un fantôme du passé face à une femme prête à aimer et à être

aimée. Non! Même pas à aimer, juste à s'abandonner charnellement. Dans le silence de la nuit
j'entendais son souffle, je devinais le frémissement
de ses narines – une louve ou une biche humant les
senteurs venues de la rive… Elle tourna le dos et,
avant de disparaître derrière la porte, laissa la lune
découper rapidement le jeu ferme et musclé de sa
croupe.

Le lendemain matin, poussé par une convoi-
tise trouble, je repris le chemin de l'isba des bains.
Je me retournais souvent, craignant de dévoiler
mes intentions que je n'arrivais pas d'ailleurs à
m'expliquer à moi-même. L'intérieur de la maisonnette, bruni par de longues années de fumage,
paraissait froid, triste. Sur l'étroit rebord du fenes-
tron, la boule fondue d'une bougie. Dans l'angle,
près du poêle, une grande cuve en fonte trônant au
creux d'une pyramide de pierres couvertes de suie.
Un peu d'eau au fond d'une puisette de cuivre.
Une odeur acide de bois humide. Impossible
d'imaginer la chaleur du feu, l'étouffement de la
vapeur, un corps féminin brûlant qui se débattait
dans cet agréable enfer… Soudain, cette fine bague
usée, oubliée sur un banc, sous la fenêtre !

Je me sauvai, imaginant que par une coïncidence diabolique, ce qui arrive régulièrement dans ce genre de situations, Véra reviendrait la chercher et me verrait ici. Cette seule bague offrait une réalité indubitable à la vision nocturne. Oui, cette femme avait été là, une femme avec un corps fait pour jouir et aimer, une femme qui, peut-être, ne désirait que cela, un signe, une légère poussée des circonstances qui l'aurait libérée de son vœu absurde. Cette bague enlevée était plus convaincante que toutes les suppositions que j'avais marquées dans mon carnet.

J'étais sûr de ne plus reprendre mes notes sur la vie de Véra.

Deux jours après, j'écrivais : « Les habitants qui, jadis, abandonnaient leurs maisons à Mirnoïé, emportaient tout ce qui pouvait l'être. Le siège de l'administration (une isba à peine plus grande que les autres) a été vidé, lui aussi. On a essayé de faire sortir un grand miroir, vestige de l'époque d'avant la révolution. Manque de chance ou d'adresse, il s'est fendu à peine posé sur le perron, une longue brisure qui l'a scindé en deux. Devenu inutile, on l'a laissé sur place, appuyé sur les rondins de la

77

maison. Sa partie supérieure reflète les sommets de
la forêt et le ciel. Le visage de celui qui regarde est
projeté vers les nuages. Le bas renvoie les ornières
de la route, les pieds des marcheurs et, si l'on jette
un coup d'œil de biais, la ligne tantôt bleue tantôt
sombre du lac… Ce soir, je surprends Véra devant
le miroir. Elle reste immobile, légèrement inclinée
au-dessus de ce verre terni. Quand elle entend mes
pas et se retourne, je vois distinctement dans ses
yeux une journée très différente de celle que nous
vivons à présent, un autre ciel et, à ma place, un
autre. L'accommodation du regard se fait, elle
me reconnaît, me salue, nous nous en allons en
silence… Toutes mes élucubrations décrivant la
femme nue sur le perron des bains sont ridicules.
Sa vie est véritablement et uniquement faite de ces
instants de douloureuse beauté. »

Je remarquai que certaines vieilles de Mirnoïé,
en passant près du grand miroir abandonné, s'ar-
rêtaient parfois, tiraient un mouchoir, essuyaient
le verre rayé de pluie.

C'est après notre rencontre près du miroir
brisé que me vint la tentation de comprendre comment on pouvait attendre quelqu'un toute sa vie.

II

1

De cette vie, je ne connaissais que deux instants et pourtant ils la contenaient tout entière.

Le premier : une journée d'avril éteinte et
tiède, une jeune fille de seize ans qui piétine dans
la neige humide. Son regard suit le convoi de
quatre larges traîneaux qui glissent sur les fon-
drières grises du dégel comme des bateaux à fond
plat. Dans l'entassement des jeunes têtes rieuses
des appelés, ces yeux tristes qu'elle essaie de ne
pas perdre de vue. Elle force le pas, patine, les
yeux disparaissent derrière une épaule, puis
resurgissent, la retrouvent au milieu du grand
vide des champs enneigés.

Début avril 1945, le tout dernier contingent
à être envoyé au front et, sur le dernier traîneau,

ce jeune soldat, l'homme qu'elle aime, l'homme à qui, pendant leurs adieux, elle a juré quelque chose comme un amour éternel, quelque chose d'enfantin, me dis-je, oui, une fidélité sans défaut ou une attente jusqu'à la mort, je ne sais pas ce qu'une femme qui aime pour la première fois peut promettre à un homme, je n'ai jamais reçu une telle promesse, je n'ai jamais cru à la capacité, chez une femme, de la tenir... Le convoi tourne derrière la forêt, la jeune fille continue à marcher. L'air a l'odeur fauve du printemps, des chevaux, de la liberté. Elle s'arrête, regarde. Tout est familier. Ce croisement des routes, le lac, la noirceur de la forêt à l'écorce gonflée d'eau. Tout est méconnaissable. Et plein de vie. D'une autre vie. Soudain, de très loin, une voix monte, se maintient un moment dans le crépuscule de la plaine, s'estompe. La jeune fille écoute : « ... reviendrai », lancé du fond des poumons, devient écho, puis silence, enfin la sonorité intérieure qui ne la quittera plus.

Cet instant-là, le premier, que j'ai imaginé grâce aux récits des vieilles de Mirnoïé, et le second, dont j'ai été témoin : une femme de quarante-sept ans longe la rive du lac, par une soirée claire et froide de septembre, le même chemin depuis trente ans, la même sérénité du regard levé sur un passant et, dans ses rêveries, la force inchangée de la voix qui vibre toujours : « … reviendrai ! »

Entre ces deux temps de sa vie, entre sa promesse juvénile et l'avenir que ce vœu avait anéanti, je tentais de retrouver le jour où tout avait basculé, où ces quelques mots hâtifs, chuchotés dans les larmes du départ, étaient devenus destin.

La tragédie de sa vie, me disais-je, était née presque par hasard. L'enchaînement chaotique des minuscules faits du quotidien, des coïncidences apparemment bénignes, des chevauchements de dates qui n'annonçaient, au début, rien d'irrémédiable. La discrète mécanique qui met en branle tous les vrais drames de nos vies.

En avril 1945, quand l'homme qu'elle aimait était parti au front, elle avait seize ans. Le premier amour donc, aucune aptitude à relativiser, à faire de cet amour-là l'un des amours de sa vie. Si l'homme avait été tué au début de la guerre, si elle avait été plus âgée, si elle avait déjà aimé, tout se serait passé autrement. Mais le jour du départ, Berlin était sur le point de tomber et la mort de ce jeune homme de dix-huit ans paraissait violemment gratuite et très facile à éviter. À quelques jours près, un combat de moins et il serait revenu, la vie aurait repris au mois de mai : mariage, enfants, l'odeur de la résine sur des planches de pin neuves, le claquement du linge propre dans le vent venant de la mer Blanche. Si seulement…

Je savais que les écrivains avaient depuis longtemps épuisé tous ces « si », dans les livres, dans les scénarios de films. En Russie, en Allemagne. Les deux pays, l'un victorieux, l'autre battu, s'étaient acharnés, pendant les années d'après-guerre, à réécrire la même scène : un soldat rentre dans sa ville natale et constate que son épouse ou sa bien-aimée coule des jours heureux dans les bras d'un autre. L'éternel colonel Chabert… Parfois, le soldat revenait défiguré et était rejeté comme tel. Parfois, il apprenait une trahison et pardonnait. Parfois, ne pardonnait pas. Parfois elle attendait, puis n'attendait plus et il arrivait au moment où elle allait se remarier. Tous ces cas de conscience s'accompagnaient de douloureux « si » et, somme toute, n'étaient pas sans justesse tant la guerre avait créé, dans les deux pays, de couples déchirés, d'amours en déshérence.

J'avais cherché à comprendre la vie de Véra à travers cette littérature-là, à soupeser les « si » qui auraient pu tout changer. Mais l'incroyable attente de trente ans (j'en avais vingt-six) se révélait trop massive, trop indiscutable pour en faire une controverse morale. Et surtout parfaitement invraisemblable pour un sujet de livre. Oui, une attente trop longue pour un roman, trop douloureusement vraie.

Cette vérité fruste, je la voyais aussi dans la simplicité indécente avec laquelle cette vie avait été dévastée, l'inavouable banalité des années dont était fait ce monolithe de trente ans. Car au début, avec la paix revenue, rien ne distinguait Véra des millions d'autres femmes qui avaient perdu leur homme. Elles attendaient comme elle, jeunes veuves, amoureuses esseulées. Rien de particulièrement méritant. Leur attente était alors très commune et leur détresse tellement courante.

En fait, pour sonder le fond de son malheur,

il me fallait oser un constat encore plus brutal, presque obscène : durant ces premières années sans guerre, les femmes restaient fidèles à leurs hommes tués car il n'y avait plus assez d'hommes vivants. C'était aussi bête et prosaïque ! Dix millions de mâles massacrés, autant de mutilés, le fiancé devenait une denrée rare.

Un raisonnement hideux mais terriblement juste, je le savais. Le seul qui me permettait d'imaginer le village de Mirnoïé tel qu'il avait été trente ans auparavant. Un étrange peuplement composé de femmes, d'enfants et de vieillards. Quelques hommes portant sur leur vareuse de soldat des médailles militaires, des manchots aigris, des culs-de-jatte avinés, débris héroïques de la victoire. Et cette jeune fille, cette Véra, dont la fidélité passait d'abord inaperçue, plus tard suscitait une approbation respectueuse et compassionnelle, puis, le temps passant, un mélange de lassitude et d'agacement, les haussements d'épaules réservés aux idiots du village, plus tard, l'indifférence à laquelle succédait parfois la fierté que les autochtones manifestent devant une curiosité locale, une relique sainte, un rocher pittoresque.

Un jour, enfin, il ne resta plus rien de tout ça.

Juste ce beau néant du ciel limpide de septembre, cette même femme fidèle, vieillie de trente ans, qui conduisait une barque sur le miroir ensoleillé du lac. Telle que je l'avais vue et connue. L'inutilité de tout jugement, admiratif ou sceptique. Seule cette pensée, indistincte de la luminosité de l'air : « C'est ainsi. »

Plus par souci de vérité que par cynisme de jeunesse, je voulais dépouiller sa vie de toute volonté de sacrifice, de toute emphase. Véra n'avait jamais eu véritablement le choix. La force des choses, cette fatalité des pauvres, avait décidé pour elle. D'abord, l'absence d'hommes à épouser, ensuite, quand dans le village renaissant on avait recommencé à célébrer des mariages, elle était considérée déjà comme une sorte de jeune vieille fille. Une nouvelle génération était là, de vrais jeunes, insouciants des ombres de la guerre, pressés de mordre à leur part de bonheur, méfiants vis-à-vis de cette femme solitaire, mi-veuve, mi-fiancée, vêtue d'un long manteau de cavalier. Leur joie de vivre l'avait rejetée vers le vieillissement comme le souffle d'un train qui repousse un retardataire.

D'ailleurs, impossible pour elle de quitter ce trou perdu de Mirnoïé! À l'époque, les kolkhoziens n'avaient pas de pièce d'identité et, pour se déplacer, devaient demander une autorisation. Ce n'était pas l'écho d'une voix derrière la forêt qui la retenait, mais cet esclavage bureaucratique. Et lorsque, au début des années soixante, les serfs staliniens, finalement affranchis, s'étaient mis à quitter leurs tanières, Véra avait déjà autour d'elle un mouroir de vieilles femmes qu'elle ne pouvait plus abandonner.

Non, elle n'avait pas choisi d'attendre, elle avait été cruellement happée par une époque, par ce passé de guerre qui s'était refermé sur elle telle une souricière.

Mais alors, cela signifiait qu'elle était parfaitement libre! Et que son serment était caduc.

Libre de quitter le village comme elle le fit ce jour de grand vent, au début d'octobre. Je la vis porter non pas son sac de cuir chargé de manuels et de copies d'élèves mais un large classeur en gros carton que les rafales tentaient de lui arracher. Il y avait dans sa démarche une légèreté vagabonde, un élan d'artiste itinérante ou d'aventurière. En passant près de la boîte aux lettres, au croisement des chemins, elle ne s'arrêta pas. L'espace d'un instant, j'eus l'illusion d'un départ définitif, d'un insolent coup de tête. Elle allait prendre le train pour Leningrad ou, au moins, pour Arkhangelsk…

Elle était libre. Et sa posture à la *mater dolorosa* était inventée par les autres. C'est nous qui lui imposions cette attente absurde, très noble, certes, héroïque même, mais dont elle se serait débarrassée depuis longtemps si ne s'était pas posé sur elle notre regard compatissant et admiratif. Ce regard l'avait transformée en une colonne de sel, une jolie stèle funéraire au pied de laquelle se recueillir en soupirant : « Oh, les femmes fidèles existent encore ! » On avait fait du bafouillis amoureux d'une fille de seize ans un vœu irrévocable. Et d'une femme débordant de vie, une sati carbonisée sur le bûcher de la solitude.

Ces jugements étaient excessifs et trop raisonnés mais, confusément, je devinais qu'il fallait à tout prix les faire connaître à Véra. Elle devait savoir qu'on pouvait penser ainsi, qu'il était encore temps de le penser.

Elle rentra le soir, toujours le même classeur

sous le bras. « Leningrad, Arkhangelsk… », répé-tai-je avec amertume. Pourtant, malgré ce faux départ, la sensation de liberté que dégageait son apparition dans le grand vent était toujours là. Plus intense même. Et plus vive devenait mon indignation devant ce culte de l'amour éternel dont elle avait été désignée comme idole. Une femme au visage rosi par le vent marchait dans la luminescence du couchant. Il fallait effacer tout le reste, les promesses juvéniles, les iconostases ternies de l'héroïsme d'antan, les regards apitoyés des bonnes âmes. Ne s'en tenir qu'à cette pré-sence charnelle libre. Je la voyais s'éloigner, je me rappelais le corps d'une femme qui retirait ses filets sur l'argile tiède de la berge, et aussi ce corps nu, la nuit, devant la porte de la petite isba des bains… Je devinais que la reconquête de sa liberté devait commencer par la révolte de ce corps serré dans un long manteau militaire.

Je vins la voir le soir même, sans être invité, en frappant tout simplement à sa porte, prétex-tant ne plus avoir de pain chez moi. J'étais venu dans son isba déjà à plusieurs reprises mais tou-jours après une rencontre dans la rue et quelques mots échangés. Cette brusquerie ne l'étonna pas, d'ailleurs, elle était habituée à la vie en communauté et aux visites toujours inopinées de ses vieilles protégées.

Nous entrâmes dans la pièce principale et, pendant qu'elle sortait une miche ronde et en coupait un large quart pour moi, je m'installai rapidement à l'endroit qui était le but secret de ma venue. Le long de la vieille table en grosses planches fendillées, ce banc dont une extrémité, proche de la porte, était la place que Véra occupait d'habitude quand on venait chez elle. Elle parlait, servait ses hôtes, allait au fourneau mais revenait toujours à ce poste près de la porte. Au moindre crissement des marches du perron, elle se tendait, instinctivement, prête à se redresser, à se porter vers le visiteur qui ne pouvait arriver qu'à cet instant précis. Et derrière la fenêtre, elle voyait le croisement des routes, l'angle de la forêt qu'on contournait en venant à Mirnoïé…

Je me campai donc sur ce bout de banc, m'accoudant pesamment sur la table. Véra avait enveloppé ma part de miche dans un carré de lin, puis me proposa du thé, de la confiture de sorbier. Elle s'éloignait, revenait et très distinctement je sentais que l'espace familier de la pièce lui échappait. Il y avait dans son regard de brefs frémissements d'inquiétude, et dans les mouvements de son corps une légère indécision, l'effarouchement d'une somnambule qu'on aurait déviée de sa trajectoire. Elle nous versa du thé puis, après une hésitation, prit place sur une chaise, en face de moi, se leva presque aussitôt, s'approcha de la fenêtre. Je percevais qu'un jeu, inavoué et agréablement cruel, s'engageait entre nous… Plus ou moins sincèrement, je croyais encore que c'était pour son bien.

Je revins chez elle trois soirées d'affilée, toujours à l'improviste, chaque fois m'installant d'autorité sur l'extrémité du banc, près de la porte. Son corps de somnambule contrariée sembla accepter de mieux en mieux mon intrusion. Il y avait dans notre confrontation, très distante, la tension d'un acte charnel.

Ou plutôt d'une agression charnelle car ma présence déformait l'intérieur de cette pièce préparée pour le retour d'un autre. La propreté du plancher, une demi-douzaine de reproductions sur les murs et (je trouvais cela d'une prétention très provinciale et touchante) ces ouvrages qu'elle n'avait certainement jamais lus. De gros livres alignés sur un rayonnage, choisis «pour une ambiance intellectuelle» : une *Théorie générale de la linguistique*, un *Dictionnaire étymologique* en quatre volumes, les *Œuvres complètes* de Humboldt... C'était manifestement des débris de quelque bibliothèque à l'abandon, qu'elle avait récupérés sans en avoir besoin pour son modeste travail d'institutrice... Je m'installais sur le siège annexé, j'observais avec curiosité ce nid arrangé pour un autre : l'ordre, le confort, le décor livresque.

Le dernier de ces soirs de jeu, j'interrompis un instant mon expérimentation psychologique, je jetai un coup d'œil par la fenêtre. Et à travers la pâleur brumeuse, je crus distinguer une grande silhouette d'homme qui débouchait au croisement des chemins. Un voyageur qui ralentissait le pas... Non, rien, un arbre, une rayure sur la vitre. Mais, vue de ce bout de banc, l'apparition ne semblait pas impossible, nourrie jusqu'aux hallucinations par des années d'attente, par des myriades (j'ai eu le vertige en y pensant) de regards qui, jour après jour, brossaient une forme humaine surgie à l'angle de la forêt...

En rentrant, je décidai de quitter Mirnoïé le lendemain matin.

Au lieu de partir, ce matin-là j'allai avec Véra sur l'île.

2

Elle devait aller sur l'île pour déposer cette couronne de fleurs séchées sur la tombe d'Anna. Une rondelle pâle, hérissée de tiges et d'épis qu'une des vieilles de Mirnoïé avait mis plusieurs semaines à tresser.

Pour moi, cette traversée du lac sous la pluie exprimait parfaitement l'absurdité de l'existence que menait Véra. Absurde aussi était mon souhait, inattendu pour moi-même, de l'accompagner : j'étais en train de préparer mes bagages, je la vis passer dans la rue, l'interpellai en ouvrant la fenêtre, lui demandai, je ne savais pas pourquoi, si je pouvais venir avec elle. Et comble de bêtise, par une ridicule crânerie mâle, j'exigeai de ramer seul, debout comme un gondolier d'opérette. Véra voulut objecter (le vent, la lourdeur capricieuse de la vieille chaloupe…) puis me laissa faire.

Le vent était instable, le nez de la barque dansait à droite, à gauche, puis s'enfonçait, indécollable de l'épaisseur de l'eau où la rame s'enlisait comme dans une ouate mouillée. Pour ne pas perdre la face, je simulais la légèreté, cachais l'effort, les bras bientôt engourdis, les tempes serrées, les yeux embués de sueur. La femme qui était assise devant moi, la petite couronne laide et sèche sur les genoux, était insupportable à voir. Benoîtement résignée, insensible à la pluie, au vent, à sa vie gâchée, à cette journée perdue dans une expédition décidée par une lubie funèbre de quelque vieille à moitié folle. Je regardais ce visage incliné, refermé sur des rêvasseries qu'on devinait déteintes à force de revenir quotidiennement depuis trente ans, des rêveries ou peut-être le vide, gris, uniforme comme cette eau, ces rives estompées dans l'air alourdi de gouttes. « Une femme dont on a fait un monument aux morts ambulant. Une fiancée immolée sur le bûcher de la fidélité. Une Andromaque paysanne… » Les formules s'envenimaient à mesure que mon effort devenait plus pénible. À un moment, j'eus l'impression que la barque ne progressait plus, engluée dans la pesanteur glaireuse des vagues. Véra releva légèrement le visage, me sourit, sembla vouloir parler, se ravisa. « Idiote du village ! Exactement. Une idole en bois que ces péquenauds ont clouée à l'entrée de leur campement pour détourner les foudres de la fatalité. Une victime propitiatoire offerte à l'Histoire. Une icône à l'ombre de laquelle ces braves kolkhoziens ont pu forniquer, s'adonner aux délations, voler, se soûler… »

Épuisé de lutter contre le vent, je finis par agiter la rame plutôt machinalement, par acquit de conscience. Le contour trapu de l'église sur la butte de l'île paraissait toujours aussi éloigné. « Ils ont quand même été obligés de la laisser partir, cette pauvre Véra, le temps qu'elle obtienne son diplôme d'institutrice dans quelque bourgade du voisinage. Sans doute l'unique grand voyage de sa vie. Son ouverture au monde. Et puis, hop, au bercail, à son guet sur le banc, devant la porte d'entrée, l'oreille éternellement tendue : et si c'était le bruit des bottes d'un soldat ? Une petite couronne desséchée sur la tombe d'Anna, oui, c'est très joli, ma chère, mais qui va aller fleurir ta tombe à toi? Les vieilles vont mourir, il n'y aura pas d'autre Véra pour prendre soin de toi... »

Je remarquai que pliant mon effort à la force de la houle, je manœuvrais plus facilement. La barque remuait toujours lourdement mais au lieu de contrecarrer ce balancement pesant, il fallait, au bon moment, donner un rapide coup de rame, un bref fouettement... Véra restait immobile et encore plus détachée comme si, constatant que j'avais appris la technique, elle avait pu revenir à ses rêves. De ses mains, elle protégeait les fleurs de la couronne. « Mais la pluie va de toute façon les mouiller, sur la tombe... », voulais-je lui dire mais ç'aurait été rompre son sommeil.

Et pourquoi ne pas la réveiller? Arrêter de ramer, m'accroupir devant elle, serrer ses mains, les secouer ou, plutôt, embrasser ces mains transies. « Elle dort dans une sorte de mort anticipée, au milieu du temps qu'elle a suspendu à l'âge de seize ans, marchant en somnambule parmi ces vieilles qui lui rappellent la guerre et le départ de son soldat... Elle vit un après-vie, les morts doivent voir ce qu'elle voit... »

Nous heurtâmes doucement la berge de l'île. Je sautai à terre, tirai le nez de la barque sur le

sable, aidai Véra à descendre. L'idée que cette
femme vivait ce qui ne nous est donné à vivre
qu'après la mort dota soudain sa vie que j'avais
jugée si absurde d'un sens obscur. Un sens qui se
laissait guetter à chaque pas, dans chaque geste.

« Je suis désolée, me dit-elle pendant que
nous montions vers le cimetière, de vous avoir fait
travailler comme un galérien. Bien sûr j'aurais pu
la cacher chez moi ou la jeter (elle secoua doucement la couronne), Zina n'aurait rien su. Mais,
vous savez, toutes ces vieilles vivent déjà un peu
au-delà de la vie et j'ai l'impression que je leur
tends la main par-dessus la frontière, et voilà,
elles me passent cette couronne. Après tout, ce
n'est peut-être pas si stupide que ça... » Elle me
regarda longuement, ses yeux gris paraissaient
encore plus grands avec le reflet de la pluie et
donnaient l'impression d'avoir lu ce que je venais
de penser d'elle. J'eus le sentiment très corporel
d'être présent dans cet après-vie à travers lequel
elle avançait...

Les fleurs de la couronne, posée sur le tertre
de la tombe, se couvrirent rapidement de gouttes
et, mouillées, semblèrent revivre, comme une
décalcomanie fragile et luisante. « La prochaine

fois, j'amènerai la croix », dit-elle tout bas, comme pour elle-même. « Je pourrai venir avec vous ? », demandai-je, et je pensai à une journée de pluie, au lent tangage de la barque, à cette main qui rajustait la couronne et que je verrais posée, comme oubliée, sur le bord de la barque.

Nous commençâmes à descendre vers la rive. Le long manteau militaire de Véra était détrempé, presque noir. De loin, sur ce talus aux herbes brunes et couchées, on aurait pu la prendre pour une infirmière, pendant la guerre, se dirigeant vers un champ couvert de blessés et de morts. Dans le regard des autres... À présent, je voyais tout simplement une femme qui marchait à mes côtés, le visage inondé de pluie, intensément vivante dans ce jour d'automne terne, évitant de poser le pied sur les dernières bottes de fleurs et qui, en arrivant sur la rive, s'inclina, ramassa quelque chose sur le sable et me le tendit : « Vous l'avez perdu, la dernière fois ». C'était le crayon avec lequel je notais dans mon carnet des formules telles que « sati carbonisée sur le bûcher de la fidélité », « la vie massacrée par un serment enfantin »...

Dans la barque, elle prit une rame, me laissant la seconde. La pluie tombait plus soutenue, amortissait les rafales. On ne voyait ni les isbas de Mirnoïé ni même les saules de la berge opposée. Nos mouvements se rythmèrent rapidement. Chacun sentait l'effort de l'autre comme une réponse au sien, à la moindre tension des muscles près. Nos épaules se touchaient mais la vraie proximité était ce lent mouvement cadencé, le soin que nous prenions de nous attendre l'un l'autre, de revenir à l'unisson des forces après un coup de rame trop appuyé ou une glissade de la pale sur la crête d'une vague.

Au milieu de la traversée, les rives disparurent complètement derrière la pluie. Aucune ligne, aucun point de repère au-delà des contours de la barque. Le gris de l'air guilloché de gouttes, les vagues, calmées, qui donnaient l'impression d'arriver de nulle part. Et notre avancée qui semblait ne plus avoir de but. Nous étions tout simplement là, côte à côte, dans le bruissement somnolent de la pluie, dans le crépuscule frais comme des écailles de poisson, et quand je tournais un peu la tête, je voyais le visage ruisselant d'une femme qui souriait vaguement, heureuse, on eût dit, de ces larmes incessantes que le ciel faisait couler sur ses joues...

Je comprenais à présent que c'est ainsi qu'elle vivait son après-vie. Un lent voyage, sans but apparent mais marqué d'un sens simple et profond.

La barque accosta à l'aveugle, à l'endroit même d'où nous étions partis.

3

De la rue, je vis une main d'enfant qui se colla à la vitre embuée, la frotta de haut en bas et, à travers l'ouverture ainsi nettoyée, une petite tête aux cheveux courts se montra, des traits légèrement lunaires et mélancoliques qui me parurent connus. Je m'approchai de la maison pour lire, au-dessus du perron, cet écriteau : « École primaire ». L'école où enseignait Véra...

J'étais venu ici par hasard, après de longs détours à la recherche de l'église en bois que nous n'avions pas pu retrouver avec Otar. L'église se trouvait à l'entrée du village de Nakhod, à une dizaine de kilomètres de Mirnoïé, de l'autre côté du lac. La vie y frémissait encore : une trentaine de maisons, une laiterie, un garage de tracteurs (bâtiment au toit en tôle ondulée rouillée) et cette école à classe unique.

En voleur, je jetai un coup d'œil par la fenêtre que la paume de l'enfant venait de nettoyer. De vieux pupitres en planches épaisses, avec d'antiques trous pour encriers, des portraits d'écrivains (la chevelure de Pouchkine, la barbe de Tolstoï…), le regard aigu de Lénine au-dessus du tableau. Quelques garçons et filles claquaient les abattants des pupitres, se glissaient sur les bancs. La récréation venait visiblement de prendre fin. Véra se leva de son siège, un cahier à la main.

Je frappai discrètement, demandant la permission d'entrer, comme un élève en retard. Son étonnement fut un peu semblable à l'inquiétude qu'elle ne parvenait pas à dissimuler lorsque je m'installais dans son isba, sur l'extrémité du banc, face à la fenêtre, à son poste de guet… Mais cette fois, l'inquiétude était teintée d'une joie évidente et d'ironie quand elle murmura, en m'indiquant une place : « Soyez le bienvenu, camarade inspecteur… » Je m'assis au fond, « la rangée des cancres », pensai-je en devinant le même constat dans le regard de Véra.

Les manteaux des enfants étaient accrochés

au mur, près d'un large poêle en brique, à l'enduit craquelé. Le tuyau noir de sa cheminée séparait le visage romantiquement myope de Tchekhov de la mine prométhéenne du jeune Gorki. En haut d'un rayonnage de livres, trônait un globe terrestre couvert de poussière et entouré d'un cercle de fil de fer : l'orbite de la Lune, une boule argentée, depuis longtemps arrachée à sa trajectoire et qui reposait sur une pile de vieilles cartes. Au-dessus des vêtements gorgés d'eau montait une légère vapeur qui embuait les vitres. J'imaginais les chemins détrempés, couverts de feuilles rousses, que les enfants avaient parcourus en venant ici de leurs villages dispersés au milieu des forêts. Ces vitres blanchies faisaient penser à l'hiver, aux rameaux de givre qui allaient les tapisser bientôt. « Je serai déjà loin », me dis-je et l'idée de ne plus être dans ces étendues du Nord, de ne plus voir cette femme qui passait d'un pupitre à l'autre me parut soudainement très étrange...

Il y avait en tout et pour tout huit élèves. Suivant leurs occupations, j'évaluai rapidement les différences d'âges : trois garçons et une fille calculaient la vitesse de deux bateaux qui s'appli-

quaient à se poursuivre sur le canal Volga-Don.
Dix-onze ans donc. Trois élèves, plus jeunes,
lisaient à tour de rôle leurs rédactions consacrées
à une promenade dans la forêt. Le dernier, assis
en face de la table de Véra, apprenait à écrire.

Je tendis d'abord l'oreille à l'énoncé du problème des bateaux, m'avouai incapable de le
résoudre, ayant tout oublié de ces astuces arith-
métiques. Signe dérisoire et tangible du temps
qui passe... Puis je me mis à écouter les trois
récits des randonnées forestières. Dans la première, était racontée la peur classique du loup.
La deuxième expliquait, avec une imprécision
poétique mais dangereuse, comment distinguer
les champignons comestibles de leurs sosies véné-
neux... Par quelques mots polis, Véra compli-
mentait, sans flatter, ces tâtonnements descriptifs.

Le troisième récit de promenade était le plus
bref. Il n'y avait dans sa trame ni « beau tapis de
feuilles d'or », ni « traces de grosses pattes de loup »,
ni « bolets de satin » (pour « bolets satan »)... Il était
lu par l'enfant que j'avais aperçu, tout à l'heure, à
travers la vitre essuyée. Son visage gardait la même
expression songeuse, l'un des coudes de son vieux
pull était complètement effiloché, l'autre, par un

contraste insolite, soigneusement rapiécé. Au lieu de décrire, sa voix constatait, avec un petit air buté qui semblait déclarer : « Je ne peux vous raconter que ce que j'ai vu et vécu. »

La veille, en venant à l'école, disait-il, il voulut contourner un chemin que les pluies avaient transformé en ruisseau, entra dans la forêt, passa par une clairière qu'il ne connaissait pas. Et là, en foulant les feuilles mortes, il dérangea un papillon endormi qui s'envola dans l'air froid. Où allait-il trouver maintenant refuge pendant les tempêtes de neige ?

La question fut posée sur un ton à la fois désemparé et durci comme si le reproche nous avait été adressé à nous tous. Le garçon s'assit, le regard tourné vers la fenêtre que sa main avait nettoyée et qui était de nouveau mate. Les autres élèves, même ceux qui conduisaient leurs bateaux, levèrent la tête. Il y eut un instant de silence. Je vis que Véra cherchait des mots avant de conclure : « Au printemps, Liocha, tu reviendras dans cette clairière et tu le reverras, ton papillon. D'ailleurs nous irons tous ensemble… Bravo pour ton récit ! » L'élève haussa les épaules, l'air de dire : « Mais ce n'est pas un récit, c'est ce que j'ai vu. »

Et c'est alors que je le reconnus. C'était l'un des fils de l'homme qui s'était pendu, au début de septembre, en accrochant la corde à la porte d'une remise, l'ivrogne dont je projetais de faire un portrait satirique. Je me rappelai le petit attroupement de ses enfants, leurs regards fixes, sans larmes, et la fuite éperdue de ce garçon à travers un terrain vague… À présent, il parlait de ce papillon dérangé sous une feuille morte, privé de son abri d'hiver.

Véra consulta sa montre, annonça la récréation. Les élèves se précipitèrent dehors. Le plus jeune, celui qui apprenait à écrire, tira de son cartable une tartine au beurre. Liocha enleva son pull et l'apporta à Véra, sans rien dire. La chemise qu'il portait en dessous était une large chemise d'homme, resserrée sur les côtés et aux manches raccourcies. Il resta dans la classe, s'adossant à la pierre chaude du poêle. Véra approcha sa chaise de la fenêtre, sortit un bout de tissu, une bobine de fil, une aiguille. Pendant qu'elle rapiéçait en silence, je regardais les livres sur le rayonnage : des manuels surtout, des morceaux choisis d'auteurs classiques et, présence parfaitement saugrenue, cette *Typologie des langues scandinaves*. « Encore

une épave qu'elle a repêchée dans une bibliothèque en ruine », pensai-je et j'allai dehors. Sous
un auvent, une pile de bois s'élevait, la réserve
pour l'hiver. Je pris une hache et me mis à fendre
des gros bouts de rondins, à entasser les bûches
qui exhalaient une odeur amère de brouillard. Et
de nouveau, la pensée que ce bois brûlerait dans
le grand poêle de la classe quand je serais depuis
longtemps parti, l'idée même de ce feu que je ne
verrais pas me parut bizarre.

Nous rentrâmes ensemble, à pied, en contournant lentement le lac. D'abord inconnu, le chemin
rejoignit vite celui que j'avais toujours emprunté :
du vieux débarcadère, en passant par le croisement
des routes et le poteau avec la boîte aux lettres, vers
les saulaies où j'avais surpris la femme qui retirait
son filet de pêche… Au milieu du lac, dans l'air
chargé de bruine, se dessinèrent les courbes claires
de l'église sur l'exhaussement ocreux de l'île.

« Il ne faut pas se faire d'illusions, dit Véra
quand je lui parlai de ses élèves. Ici, le seul avenir possible est le départ. Nous ne vivons même
pas au passé mais déjà au plus-que-parfait. Les
enfants iront ailleurs, dans les villes, où le rêve

sera un chantier avec de la boue jusqu'aux oreilles, un foyer de jeunes ouvriers, l'alcool, la violence. Mais, vous voyez, je me dis parfois que quelque chose leur restera quand même de ces forêts. Et de nos leçons. Un papillon réveillé juste avant l'hiver. Si ce Liocha a pensé à cela c'est qu'il en gardera la trace. Malgré la mort de son père ivrogne, malgré la crasse des villes où il va plonger bientôt. Malgré tout. C'est peu, bien sûr. Et pourtant je suis certaine que ça peut sauver. Il suffit de si peu souvent pour ne pas sombrer. »

Comme nous passions près de l'endroit de ses pêches, sur la berge couverte de saulaies nues, je sentis que le souvenir de notre première rencontre était encore en elle car elle se hâta de rompre notre silence et parla un peu confusément, en détournant le regard, en m'indiquant l'île : « Une des voies des Vikings vers le sud passait par là, ils voyaient exactement la même île. L'église et le cimetière en moins. Dans leur langue, ils disaient "holm", une île. Tandis qu'en russe "holm" signifie "colline". Question au spécialiste : pourquoi un tel glissement de sens ? »

Pris au dépourvu, je balbutiai : « Oh, sans doute une quelconque perversité étymologique…

Ou bien, les Russes buvant plus que les Scandinaves... quoique les Finlandais, paraît-il, nous
dament facilement le pion dans ce domaine.
Attendez... Donc une île des Vikings se trans-
forme chez nous en colline... Eh bien, je jette
l'éponge. Alors ce "holm" des Varègues ?

   – D'abord, il ne s'agissait pas des Finnois mais
des Suédois et des Norvégiens. Et donc, en venant
par ici pour leurs rapines, ils avaient besoin d'un
bon niveau d'eau pour leurs lourds drakkars. Ainsi
préféraient-ils venir au printemps, pendant les
grandes crues qui mettaient à leur portée même les
villages habituellement éloignés des berges. Ils
voyaient une île, hurlaient "Holm !", les autochtones retenaient le vocable et l'appliquaient à ce
que cette "île" devenait quand l'eau se retirait : une
simple colline au milieu des prairies émergées...
Pardonnez-moi ce ton cuistre. Quand j'étais jeune
et naïve, je me suis avisée d'écrire une thèse sur
toutes ces finasseries étymologiques. Heureuse-
ment, je ne suis pas allée jusqu'au bout...

   – Une thèse ? Vous voulez dire un doctorat ? »
Mon étonnement fut tel que je ralentis le pas,
m'arrêtant presque. Cette institutrice obscure,
cette Véra oubliée de tous dans ce trou perdu...

Un doctorat de linguistique ! Ça avait l'air d'une blague.

« Et vous l'avez préparé où ? » Ma voix cachait mal la méfiance et aussi un certain agacement : avec mon diplôme universitaire je croyais être la science incarnée dans ce désert du Nord. Et je perçus en moi, désagréablement, l'amour-propre piqué par l'entorse faite aux préséances intellectuelles.

« À Leningrad, à l'université, j'avais Ivanitsky comme directeur de thèse. Vous ne l'avez pas connu sans doute, il est mort à la fin des années soixante. Il m'en a beaucoup voulu d'avoir déclaré forfait juste avant la soutenance... »

Je l'écoutais, ne parvenant pas à me défaire d'un brouillage visuel : une recluse, une fiancée-veuve inconsolable, une ermite vouée au culte des morts et cette jeune thésarde dans le Leningrad des années soixante avec leur effervescence post-stalinienne. Rapidement, j'additionnai cinq ans d'études universitaires et trois ans de thèse, c'est-à-dire au moins huit longues années passées loin des forêts de Mirnoïé. Toute une vie ! Donc je m'étais complètement trompé sur le sens de ce qu'elle vivait...

Machinalement, je la suivis, sans m'apercevoir que nous arrivions au village, je dépassai l'isba où je logeais, entrai chez elle comme si cela s'était toujours fait, comme si nous avions été un couple.

Pénétrant dans la grande pièce, je revins à moi, observai cet intérieur qui révélait à présent un tout autre mode d'existence : des livres de linguistique, une lecture donc tout à fait ordinaire pour elle, des reproductions accrochées aux murs dont les sujets, pour certaines, étaient à prendre au second degré, comme ce paysage, titré : « Sur la banquise. Famille d'ours polaires ». La propreté due plutôt à une discipline intellectuelle qu'aux petites manies d'une vieille fille. Et cette place, à l'extrémité du banc, son poste de guet qu'elle avait pu facilement quitter pour aller à Leningrad ou ailleurs. Une autre femme…

Je parlai en restant debout, ne me retrouvant plus dans ce lieu transformé :

« Mais pourquoi êtes-vous revenue ? »

La tension avec laquelle je l'interrogeai trahissait la vraie question : « Pourquoi après tant d'années passées à Leningrad venir vous enterrer ici, parmi les ours et les ivrognes ? »

Elle dut deviner le sous-entendu mais répondit sans aucune note de gravité, continuant à préparer le thé :

« J'avais une drôle d'impression durant toutes ces années à Leningrad. J'étais là, plutôt satisfaite de ce que je faisais, assez engagée dans leur vie (vous voyez, "leur" vie – elle sourit) et pourtant, très dédoublée, comme si par cette parenthèse universitaire j'avais dû démontrer aux autres que ma place était ailleurs. Et puis, il y avait pour moi quelque chose de très artificiel dans ces années du dégel, quelque chose d'hypocrite. Staline était voué aux gémonies mais, par contraste, on sanctifiait plus que jamais Lénine. C'était un tour de passe-passe assez compréhensible, après la chute d'un culte les gens s'accrochaient aux dernières idoles qui restaient. Je me souviens des poètes, très à la mode, qui se produisaient dans les stades, devant des dizaines de milliers de personnes. L'un d'eux déclamait : "Enlevez le portrait de Lénine de nos billets de banque. Car infinie est sa valeur !" C'était enthousiasmant, neuf, grisant. Et faux. Car la plupart des gens qui applaudissaient ces strophes savaient que les premiers camps de concentration avaient été construits sur l'ordre de Lénine. Des barbelés, il y en avait eu pas mal, d'ailleurs, dans nos parages, autour de Mirnoïé. Mais les poètes préféraient mentir. C'est pour cela qu'ils sont toujours comblés d'honneurs et de datchas en Crimée... »

Elle nous versa du thé, me proposa une chaise, s'assit à l'extrémité du banc... Je l'écoutais avec l'étrange sensation d'entendre non pas le récit des espoirs démocratiques des années soixante mais celui de la décennie suivante, de ces années soixante-dix de notre jeunesse contestataire : des poèmes, des rassemblements, l'alcool et la liberté.

Sans doute ses mots sur les privilèges des poètes lui parurent-ils trop acides, car elle sourit et ajouta : « En fait c'était surtout ma faute si je ne parvenais pas à être à l'aise dans cette époque-là. Je discutais, lisais des dissidents recopiés au papier carbone, faisais mes recherches sur la typologie de l'ancien suédois et du russe. Mais je ne vivais pas... »

Elle se tut, le regard abandonné dans la grisaille du crépuscule derrière la fenêtre. Je crus discerner dans ces yeux le reflet des champs aux herbes éteintes, le croisement des chemins, le sombre étagement de la forêt.

« D'ailleurs, tout s'est passé encore plus simplement. Je suis venue à Mirnoïé pour… enterrer ma mère. Je pensais rester neuf jours, comme la tradition l'exige, semble-t-il, puis quarante. Et de fil en aiguille… Surtout certaines vieilles étaient déjà là, à peine plus vaillantes que ma mère qui venait de mourir. Non, il n'y a eu aucun regret, aucun tiraillement. Je comprenais que ma place était là, c'est tout. Ou plutôt, je n'y pensais même pas. J'ai recommencé à vivre. »

Elle se leva pour remettre la bouilloire sur le feu. Je tournai la tête, jetai un rapide regard derrière la vitre : avec une netteté grossissante de songe, l'ombre d'un marcheur se détacha de la forêt.

Véra revint, posa du pain grillé, remplit de nouveau nos tasses. Ce qu'elle disait maintenant ressemblait plutôt à un murmure intérieur, aux arguments anciens, parfaitement convaincants pour elle, et qui se disaient seulement parce que j'étais là. « J'ai compris aussi que tous nos débats leningradois, antisoviétiques ou prosoviétiques, ne voulaient plus rien dire ici, à Mirnoïé. Quand j'y suis venue, j'ai trouvé une demi-douzaine de très vieilles femmes qui avaient perdu leurs proches à la guerre et qui allaient mourir. Aussi simple que ça. Des êtres humains qui s'apprêtaient à mourir dans la solitude, sans se plaindre, sans chercher le coupable. Avant de les avoir connues, je n'ai jamais vraiment, profondément, pensé à Dieu… »

Elle s'interrompit, apercevant mon regard qui glissait sur le rayonnage des livres (en fait, il me fut soudain difficile de soutenir le sien). Elle sourit, en indiquant d'un petit mouvement de menton la rangée de volumes : « De toute façon, j'étais déjà trop vieille pour l'université. J'avais l'air d'une robuste kolkhozienne parmi toutes ces jeunes étudiantes en minijupe… »

Le jour baissa, Véra trouva l'interrupteur, puis se ravisa, craqua une allumette. La flamme d'une bougie posée sur l'appui de la fenêtre brilla, plongeant les champs et les chemins derrière la vitre dans le noir. Elle se rassit à sa place habituelle, nous écoutâmes le silence rythmé par le vent et tout à coup, un léger grincement, le soupir d'une vieille poutre, la lassitude d'un chambranle.

Son regard resta calme, juste ses cils battirent rapidement. Elle murmura comme si je n'avais plus été là : « Et puis, comment partir puisque je l'attends toujours ? »

4

Durant cette expédition de quinze kilomètres, par une journée glacée et lumineuse d'octobre, j'eus véritablement la certitude de partager ce qu'était la vie de Véra. Nous refîmes le chemin qu'elle empruntait pour aller à son école. Les saulaies de la berge, le carrefour de la boîte aux lettres, le vieux débarcadère... Là, une piste obliquait vers le nord, dans l'épaisseur de la forêt.

Quelques jours auparavant, un de ses élèves lui avait parlé d'un hameau perdu au milieu des fourrés, où il ne restait plus qu'une seule habitante, une vieille sourde et presque aveugle, selon lui, et dont il n'avait pas réussi à connaître ne fût-ce que le prénom. Véra était allée voir le président du kolkhoze voisin en espérant obtenir un camion. On

lui avait répondu que, pour ces pistes embrous-
saillées, il lui fallait plutôt un char de combat…
Alors, ce samedi-là, elle frappa à ma porte et nous
partîmes en traînant derrière nous ce drôle de lan-
dau sur ses petites roues de vélo dépareillées : la
voiturette d'un soldat de Mirnoïé, revenu du front
cul-de-jatte et mort peu après la guerre.

Le froid nous facilita la traversée de la forêt
où la boue des pistes, gelée, permettait de marcher même dans les tourbières. Nous nous arrê-
tions parfois, pour souffler, et aussi pour ramas-
ser une poignée de canneberges, des minuscules
boules de sorbet, eût-on dit, qui fondaient lentement sous la langue, acides et glacées.

C'était la première fois peut-être depuis
notre rencontre que nos gestes, nos paroles et nos
silences venaient avec autant de naturel. J'avais
l'impression de n'avoir plus rien à deviner, rien
à comprendre. Sa vie avait pour moi la limpidité
de ces vitraux de ciel sertis entre les cimes noires
des sapins.

«Abnégation, altruisme…» À mon insu, le
caractère de cette femme provoquait encore dans
ma pensée des formules qui tentaient de le cer-
ner. Mais elles échouaient toutes devant la sim-

plicité, très peu réfléchie, avec laquelle Véra agissait. J'en vins à penser que le bien (le Bien !) était
une chose complexe et propice à la grandilo-
quence dès qu'on en faisait un problème moral,
un sujet à débattre. Et devenait humble et clair
dès le premier pas réel en sa direction : cette
marche à travers la forêt, cet effort prosaïquement
musculaire qui dissipait les chimères édifiantes de
la bonne conscience. Et puis ce qui paraissait aux
autres un acte de bonté n'était pour Véra qu'une
très ancienne habitude. « Ce serait pas mal si
l'on pouvait cueillir, au retour, quelques champignons, dit-elle pendant une halte, je les prépare-
rais demain pour la vieille… »

Le hameau, encerclé par la forêt de plus en
plus envahissante, se découvrit devant nous d'un
coup et sembla inhabité. Des arbres poussaient
au milieu de la rue, certains toits, affaissés, dénu-
daient, sous des bottes de chaume, l'ossature grêle
des poutres. Douze maisons que nous nous mîmes
à visiter en essayant d'identifier les traces les plus
probantes de la présence humaine. Ce linge loque-
teux suspendu dans une cour ? Nous entrâmes :
le plancher, vermoulu, céda facilement sous les

pieds… Non, plutôt cette isba-là. Sur son perron en bois, un vélo rouillé, posé à l'envers sur le siège et le guidon, semblait attendre le réparateur qui allait surgir sur le seuil, les outils à la main. La maison était vide, dans les fenêtres aux vitres brisées des tiges sèches frémissaient sous les courants d'air…

Nous faillîmes ne pas pousser la porte de celle-ci. Les poutres du toit pointaient dans le ciel comme des côtes cassées d'une carcasse. Les fenêtres avaient perdu leur liseré de bois sculpté. Le perron disparaissait sous une broussaille drue. Nous allions passer notre chemin… Soudain, cette voix. Elle venait d'un banc très bas qui courait le long du mur et que les arbustes cachaient. Une vieille femme y était assise, les paupières mi-closes, un chat installé sur ses genoux à qui elle disait une assoupissante litanie de mots doux. Elle nous vit, se leva en déposant le chat sur le banc, parla très haut, avec une force étonnante pour son corps frêle, nous invita à venir à l'intérieur. La principale surprise nous y attendait.

À travers le toit à moitié disloqué, on voyait le ciel et cet espace ouvert à tous les vents était réaménagé d'une façon qu'on n'aurait jamais pu imaginer : une autre maison, bien plus petite, avait été construite au milieu de la pièce, une minuscule isba confectionnée avec les planches d'une remise ou d'une clôture. Un vrai toit, une porte étroite et basse, récupérée sans doute dans une grange, une fenêtre. La ruine qui l'entourait appartenait déjà à l'extérieur, à ses intempéries, à ses nuits sauvages. Au règne de la nature. Tandis que la nouvelle construction reproduisait le confort perdu, en condensé. Courbés en deux, nous y pénétrâmes pour découvrir le dénuement d'une vie primitive et une propreté étonnante. Une sorte de minimum vital, notai-je en pensée, la dernière frontière qui séparait l'existence humaine et le cosmos. Un tout petit lit, une table, un tabouret, deux assiettes, une tasse et au mur, entouré de quelques lettres jaunies, le rectangle noir d'une icône.

L'astuce avait été d'accoler cet habitacle aux briques du grand poêle qui occupait la moitié de la maison en ruine. La vieille nous faisait visiter sa demeure de poupée, expliquant qu'en hiver, elle sortait dans la pièce principale envahie de neige, allumait le feu dans le poêle puis se réfugiait dans sa petite isba... Contrairement à ce qu'on nous avait dit d'elle, elle n'était pas sourde, juste un peu dure d'oreille, mais sa vue baissait, sa vision se rétrécissait de même que se resserrait l'espace de son univers gigogne.

À un moment de la visite, Véra m'adressa un signe discret pour me faire comprendre qu'elle voulait rester en tête à tête avec la vieille femme.

J'allai jusqu'à l'étang au milieu duquel se devinait le contour d'une barque immergée. Dans la maison voisine, je tombai sur une pile de livres scolaires, un cahier rempli d'exercices de grammaire. Une phrase, recopiée pour illustrer quelque règle de syntaxe à respecter, me frappa : « Les défenseurs de Leningrad ont obéi à l'ordre de Staline de résister jusqu'à la dernière goutte de sang. » Non, pas la syntaxe, plutôt la règle de l'alternance des voyelles. J'eus besoin de ces petites pensées ironiques pour supporter le poids du temps qui stagnait en épaisse flaque d'absurde dans chacune de ces maisons, dans la rue déserte.

« Bientôt Mirnoïé ressemblera exactement à cela, pensai-je, me dirigeant vers l'isba de la vieille survivante, oui, le même désert humain, plus figé que les règles de grammaire. »

Les deux femmes étaient déjà ressorties et s'affairaient autour de la petite voiture aux roues de vélo. Je pouvais facilement imaginer le déroulement de leurs pourparlers secrets. D'abord le refus de la vieille femme de partir, un refus tout de forme, mais qui lui était nécessaire pour justifier de longues années de solitude, pour ne pas se reconnaître abandonnée. Ensuite, les arguments de Véra dont chaque mot était pesé car il ne fallait pas enlever à l'ermite le dernier orgueil qui lui restait, celui d'être capable de mourir seule… Puis, d'une parole à l'autre, un rapprochement insensible, la confluence de leurs destins de femmes, la compréhension et enfin les aveux, et surtout celui-ci : justement la peur de mourir seule.

Je m'approchai, leur proposai mon aide. Et je vis qu'elles avaient toutes les deux les yeux légèrement rougis. Je pensai à l'ironie avec laquelle je lisais tout à l'heure une phrase sur Staline ordonnant la défense de Leningrad. C'était la tonalité sarcastique qui avait cours dans notre milieu d'intellectuels contestataires. Un humour qui procurait un réel confort mental car il nous mettait au-dessus de la mêlée. À présent, observant ces deux femmes qui venaient de verser quelques larmes en prenant leur décision, je sentis que notre ironie butait sur quelque chose qui la dépassait. « Sentimentalisme campagnard, aurions-nous ricané au Wigwam, les Misérables à la soviétique… » Ces moqueries auraient visé le vide, je le savais maintenant. L'essentiel était ces bras féminins qui chargeaient sur la petite voiture la totalité de l'existence matérielle d'un être humain.

La totalité ! L'idée me sidéra. Tout ce dont cette vieille avait besoin était là, sur les trois courtes planches de notre poussette. Elle alla dans l'isba, revint avec l'icône enveloppée dans un bout de cotonnade.

« Katérina Ivanovna va venir avec nous, dit Véra comme s'il s'était agi d'un bref séjour ou d'une promenade. Seulement, elle refuse notre taxi, elle préfère marcher. On verra… »

Elle m'entraîna un peu en avant pour laisser la vieille faire ses adieux à la maison. Katérina alla vers le perron, se signa, s'inclinant très bas, se signa de nouveau, nous rejoignit. Son chat la suivait à distance.

À l'entrée de la forêt, je pensai à la première nuit que passerait ce village désormais sans une âme vivante. L'isba gigogne de Katérina, le banc sur lequel, en été, elle attendait une étoile qui lui était chère, ce cahier d'élève avec sa grammaire de l'époque stalinienne. « À un certain degré d'épuisement, pensai-je, la vie cesse d'être choses. C'est à ce moment-là peut-être, seulement à ce moment-là, que la nécessité de la dire dans un livre devient absolue... »

Vers deux heures de l'après-midi, les sentiers se mirent à dégeler. À certains endroits, il me fallut porter Katérina, en enjambant des crevasses de boue. Son corps avait la légèreté immatérielle qu'ont les vieux vêtements.

Le soir, l'installation de la nouvelle venue était terminée. Au-dessus de l'isba que Véra lui avait choisie flottait un voile bleuté de fumée, l'odeur des bûches de bouleau qui brûlaient dans le poêle. Le faîte du toit, les créneaux noirs de la forêt se traçaient dans le ciel violet avec l'acuité d'une pointe d'argent puis, troublés par une bouffée transparente de fumée, se mettaient à ondoyer doucement. Comme cette étoile, au nord, qui elle aussi devenait alors mouvante et plus proche.

Je vis Véra qui traversait lentement la rue, les bras alourdis de seaux pleins. Elle s'arrêta un instant, posant sa charge à terre, resta immobile, le regard porté vers l'étendue encore claire du lac.

Bonté, altruisme, partage... Tout cela me paraissait maintenant beaucoup trop cérébral, trop livresque. Notre journée n'avait pour but que la beauté de ce voile de fumée sentant l'écorce de bouleau brûlée, que l'ondoiement vivant de l'étoile, que le silence de cette femme au milieu de la route, sa silhouette ciselée sur l'opale du lac.

« À un certain degré d'épuisement, me rappelai-je, la réalité cesse d'être choses et devient parole. À un certain degré de souffrance, la douleur nous laisse voir pleinement la beauté immédiate de chaque instant... »

L'absence de bruit était telle que, de loin, j'entendis un léger soupir. Véra reprit les seaux, se dirigea vers la maison de Katérina. Je pensai que la vieille femme vivait ce qui lui arrivait à présent – cette odeur de feu de bois, ce lac derrière la fenêtre de sa nouvelle maison – comme le début de l'après-vie puisque depuis longtemps elle avait accepté l'idée de mourir seule, puisque morte, elle l'était déjà pour les autres.

À Leningrad, au Wigwam, nous avions si souvent séparé le bien et le mal dans ce monde. J'étais conscient que le mal qui avait dévasté ces villages du Nord était infini. Et pourtant jamais le monde ne m'était encore apparu aussi beau que ce soir-là, vu à travers les yeux d'une vieille femme fatiguée. Beau et digne d'être protégé par la parole contre le rapide effacement de nos actes.

Je passai plusieurs jours avec la conviction grave et sereine d'avoir percé le mystère de la vie de Véra.

Et puis, une semaine après notre expédition, un samedi soir, je la vis partir vers le croisement des chemins où, en fin de journée, on guettait un camion en direction du chef-lieu. Elle ne portait pas son vieux manteau de cavalier, mais un imperméable beige, d'une coupe élégante, que je voyais pour la première fois. Ses cheveux étaient réunis haut sur la nuque dans un ample chignon. Elle marchait rapidement et ressemblait très banalement, et très incroyablement pour moi, à une femme qui va rejoindre un homme.

5

Pendant que je m'habillais à la hâte, courais dans la rue et, en coupant à travers la broussaille des sous-bois, me dirigeais vers le croisement des chemins, l'écho d'une moquerie d'Otar résonnait à mes oreilles : « Tu es un artiste, il te faut du beau et du tendre… »

Rien ne blesse aussi durement que la banalité amoureuse chez une femme qu'on a idéalisée. L'existence que j'avais imaginée pour Véra était un joli mensonge. La vérité se nichait dans le corps de cette femme, une femme qui très sainement, une fois par semaine (ou plus fréquemment ?), couchait avec un homme, son amant (un homme marié ? un veuf ?), revenait à Mirnoïé, reprenait sa mission auprès des vieilles…

Je courais, trébuchant sur les racines recou-
vertes de feuilles puis, hors d'haleine, m'arrêtais,
une main appuyée sur un tronc d'arbre. La buée
de ma respiration dans l'air glacé semblait insuf-
fler une véracité physique dans ces interludes
imaginés. Une maison, une clôture qui s'ouvre,
un baiser, la chaleur d'une pièce, l'abondance
campagnarde d'un dîner, l'alcool, ce grand lit très
haut, sous une pendule ancienne, le corps féminin aux cuisses largement écartées, des gémissements de plaisir… La sidérante et toute naturelle
évidence de cet accouplement, sa parfaite légiti-
mité humaine. Et l'impossibilité radicale de le
concevoir puisque, à ce croisement de chemins,
la veille encore, on pouvait rêver l'apparition d'un
soldat rentrant chez lui.

Je parvins au carrefour au moment où, dans
le crépuscule, blêmissaient les deux phares arrière
d'un camion qui venait de passer. Celle que je
poursuivais avait dû y monter. Elle descendrait,
frapperait à un portail, embrasserait l'homme qui
lui ouvrirait, il y aurait le dîner, le grand lit haut,
le corps qui se donnerait avec un savoir-faire
féminin, mûr et généreux…

Cet amour, depuis longtemps enraciné dans

le quotidien, avait donc toujours fait bon ménage avec le reste : l'accueil des vieilles survivantes, la beauté nocturne du lac…

Et même avec l'attente du soldat ! Car elle savait très bien qu'il ne reviendrait jamais. La paix qu'elle offrait à des vieillardes solitaires, sa propre solitude, la luminosité des instants d'automne que nous avions vécus ensemble sur l'île et… ce plaisir dans l'épaisseur du grand lit, c'est seulement dans mes rêveries qu'un tel mélange paraissait impossible. Mais la vie, cette vie bonasse et sans souci d'élégance, n'est rien d'autre qu'un perpétuel mélange de genres.

Un autre camion pouvait passer dans cinq minutes comme dans cinq heures. Très probablement, il me faudrait rebrousser chemin et de toute façon, pensai-je avec un bref éveil de lucidité, comment la retrouver dans la ville ? Mais surtout pourquoi la retrouver ? Une scène parfaitement grotesque se joua dans ma tête : devant un grand portail en bois, je barre le passage à une femme, à cette femme venue faire l'amour avec un homme, je la repousse, lui rappelle avec indignation le possible retour du soldat…

Un faisceau de lumière me tira de ces divagations. Une moto freina, je reconnus le directeur adjoint de la Maison de la culture. La moto était la partie importante du personnage qu'il campait : un brun ténébreux, dur mais romantique, incompris par son temps. Son puissant engin aurait eu besoin de bonnes routes asphaltées pour que le personnage soit crédible mais nous nous mîmes à cahoter péniblement en sautant d'une ornière à l'autre, en soulevant parfois les jambes pour les protéger des giclures de boue. Derrière un tournant, les réflecteurs rouges brillèrent, le directeur adjoint lança un juron, nous étions maintenant obligés de nous traîner pendant des kilomètres dans la puanteur et le bruit du camion.

Je demandai à descendre à l'entrée de la ville, au moment où le camion stoppa. Avant de repartir, le motocycliste cria à travers la pétarade : « Ce soir, viens chez moi ! On fête le départ d'Otar… » Et d'une brusque manœuvre hargneuse, il doubla le camion. Véra s'éloignait déjà dans une rue éclairée par un tube blafard fixé à la façade d'un magasin.

Dans l'obscurité, je n'avais pas de peine à la suivre. Elle tourna dans une rue plus large

(« l'avenue Marx », notai-je machinalement),
coupa par une place, sembla s'attarder devant
une vitrine (le seul « grand magasin » de la ville),
accéléra le pas. Une minute plus tard, nous nous
retrouvâmes, séparés par une foule impatiente
et visiblement excitée, sur le quai de la gare. On
attendait le passage du train de Moscou, le plus
important événement quotidien de la ville.

Elle restait en retrait, près de l'entassement
de vieilles traverses au bout du quai. De temps en
temps, chassée par des gens qui s'installaient près
d'elle pour attendre, elle s'en allait furtivement et
il lui fallait alors se glisser dans la foule, se faufi-
ler sans être reconnue vers une nouvelle cachette.
Dans cet attroupement endimanché, nous étions
tous les deux à la fois chasseur et proie car, à son
approche, je reculais, prêt à fuir, m'éloignais rapidement, tel un voleur effarouché. Et même si,
pour quelques secondes, je la perdais de vue, je
croyais discerner sa présence comme la pulsation
chaude d'une veine derrière tous ces manteaux
recouverts de bruine glacée.

Quand, au loin, le projecteur de la locomo-
tive perça la brume, la foule remua, se porta plus
près des voies et, effrayé, je vis que Véra se trou-

vait à deux pas de moi, le regard accompagnant le défilé des wagons. Je m'écartai, enjambai les premières valises qui se posaient sur le sol, assourdi par les embrassades bruyantes, bousculé par des familles qui s'agglutinaient. En me retournant, je ne la revis pas. Le quai se vidait lentement, seuls restaient à présent ceux à qui l'on avait fait faux bond et les fumeurs les plus téméraires qui allaient sauter sur le marchepied après le sifflet du départ. Elle n'était plus là. «Un homme au menton légèrement écorché par le rasage dans le tangage du wagon, une eau de Cologne forte, un dîner où il va raconter les dernières nouvelles de la capitale, un grand lit haut, leur sommeil...»

Je quittai la gare en me disant que ce sommeil dans les bras d'un homme était peut-être l'issue la plus naturelle et même la plus honorable pour Véra, une vie dont le regard des autres la privait, une vie banale, certes, mais qu'elle avait vraiment méritée. J'allais réussir presque à m'en convaincre. Soudain je compris que je méprisais au plus haut point et cette vie et cette femme.

La fête battait déjà son plein chez le directeur adjoint. Des bougies éclairaient très inégalement la grande pièce bleuie par le tabac. Des voix montaient, des rires d'hommes, des criaillements de femmes d'après lesquels il était facile de déterminer leur degré d'ébriété. Je m'assis à côté d'une des invitées et, sous son maquillage de choc, découvris les traits de la professeur d'histoire. On me versa du vin (« Du vin géorgien, notai-je, Otar a dû vider toutes ses réserves »), quelqu'un hurla un toast de bienvenue, je me hâtai de boire, désireux de les rattraper dans leur bonheur bruyant. En chœur, on déclamait déjà un autre toast, pour saluer la liberté retrouvée d'Otar.

Je ne sus pas à quel moment notre conversation chamailleuse et désordonnée aborda Mirnoïé. L'avais-je provoquée moi-même ? Peu probable. Plus ou moins absent, je me rendis compte qu'on parlait de Véra seulement quand la professeur d'histoire cria : « Oui, une ermite, une religieuse. Tu parles ! Mais elle baise à droite et à gauche. Comment ça "avec qui" ? Mais avec le chef de gare, voyons. D'ailleurs, je vais vous dire… » D'autres voix et d'autres témoignages effacèrent sa voix.

La douleur de ce que je venais d'entendre me désenivra un instant. Je me vis assis par terre, sur une peau de mouton roulée, mon bras étreignait la femme qui continuait à hurler, ma main droite lui pétrissait le sein, son pull collant était moite sous l'aisselle.

En fait, la vie n'était rien d'autre que cette moiteur charnelle, le désir des hommes et des femmes qui se palpent, qui se donnent, puis se séparent. « Qui s'enlacent, qui s'en lassent… » Tout le reste était des mensonges de poètes. En retirant sa jupe, la professeur d'histoire s'inclina et, les lèvres arrondies comme pour un baiser caricatural, souffla une bougie. Dans la pénombre, d'autres corps resserraient leurs nœuds de bras, de cous et de jambes. J'entendis le rire triste d'Otar. La professeur de dessin expliquait avec colère que pour bien enseigner la peinture aux enfants il aurait fallu commencer par le *Carré noir* de Malevitch. Ce soir, elle n'avait pas trouvé d'homme avec qui faire l'amour. Quelqu'un plaisanta sur l'électrification de toute la Russie, je compris que les bougies ne visaient pas à créer l'ambiance mais s'étaient imposées après une coupure de courant. Leur lumière me suffit pour distinguer le motif du tissu imprimé des sous-vêtements dont ma partenaire était en train de se débarrasser : quelque chose de vert, de fleuri. Et comme toujours dans ces unions charnelles rapides, à moitié voulues par les exécutants, se glissa un éclair de pitié aiguë envers ce corps étranger, très touchant dans son zèle à imiter l'amour. Et tout de suite, vint l'indifférence, puis le désir tout bête d'écraser ces seins nus et chauds…

Le cri qui fusa était excessif par rapport à l'étendue de la catastrophe, nous nous en rendîmes compte rapidement. Une bougie était tombée de l'appui d'une fenêtre, avait roulé sous un rideau, l'embrasement était spectaculaire. Le hurlement hystérique « Au feu ! » avait répondu à cette première impression d'incendie. La panique y aida. Des ordres et des contrordres, le chassé-croisé des corps à moitié dévêtus, la fumée. Mais déjà le rideau coupable gisait par terre, rageusement piétiné par plusieurs pieds. Enfin, des soupirs de soulagement, une minute de fixité après une fébrilité extrême, et la stupeur : l'électricité était revenue !

Nous restâmes debout, clignant des yeux, nous observant les uns les autres sur ce champ de bataille amoureuse que survolaient des floches de suie. Maquillages flous, poitrails masculins pâles, mais surtout ça !

Le rire jaillit d'un coup, s'amplifia et, à son sommet, atteignit ce degré qui le rend semblable aux larmes : la professeur d'histoire, la bibliothé-caire et l'infirmière portaient des sous-vêtements rigoureusement identiques, les seuls qu'on trou-vait dans le seul grand magasin du chef-lieu, sur l'unique mannequin féminin de la vitrine. La pro-fesseur de dessin riait plus que les autres, encore habillée car sans partenaire, elle se vengeait de cette nuit ingrate. Et le magnétophone, ressus-cité, entonnait d'une voix enrouée et suave : « ... when the birdlings wake and cry, I love you... »

Le rire continua longtemps, en petits pouf-fements de plus en plus artificiels. Nous essayions de retarder la fin de cette gaieté, sachant la tris-tesse proche. Le réveil dans une maison froide, dans une pièce qui sentait les conserves de pois-son, les corps défraîchis et l'aigreur d'un incen-die avorté. Le jour allait se lever, il faudrait par-tir. Quelqu'un remarqua alors l'absence d'Otar, cela sauva la situation. Les plaisanteries sur l'ap-pétit sexuel des Géorgiens se mirent à pleuvoir.

De vrais mâles, eux, qui n'interrompent pas leurs coïts même dans une maison qui brûle ! On tira un bouchon, on éteignit la lumière, on rôda dans l'indécision en espérant que la nuit et les désirs interrompus pourraient renaître.

Je vis Otar en sortant. Contrairement à nos médisances, il était assis dehors, sur la rambarde du perron et fumait. Les larges bords de son chapeau mou dégoulinaient de pluie. « On y va ? me dit-il comme si nous nous étions concertés pour partir ensemble. Seulement, je n'ai plus mon camion. Je l'ai rendu. » Il sourit, caustique, et ajouta : « En échange de ma liberté retrouvée. »

La porte s'ouvrit à ce moment, le maître de la maison me tendit une longue cape en toile de tente et deux bouteilles d'alcool. Je bénéficiais encore de quelques privilèges dus à mon statut d'intellectuel leningradois.

Dans deux heures, Otar devait prendre le train pour Moscou, celui que j'avais attendu la veille. Il m'accompagna à la périphérie de la ville, sur la route où, de bon matin, on pouvait monter dans l'un des grands tracteurs qui transportaient des grumes de sapins. Quand nous entendîmes le ron-flement de l'engin, il tira rapidement de son sac une enveloppe en papier craft, me la fourra dans les mains et bougonna, à la fois confus et autoritaire : « Tu la laisseras dans la boîte aux lettres, tu sais laquelle, au carrefour. C'est pour elle… » Puis il me donna une lourde tape sur l'épaule, m'écorcha la joue de sa barbe et alla se mettre en travers de la route pour stopper le tracteur.

Dans la cabine enfumée, en bavardant avec le chauffeur, je touchais de temps en temps, sous la toile de ma cape, l'épaisseur rugueuse de l'enveloppe.

Son rectangle glissa dans la boîte en faisant entendre le bruit sonore du vide. Tant d'espoirs liés à ce bout de ferblanterie creux ! D'ailleurs, ces espoirs… Je me souvins : l'eau de Cologne d'un homme qui débarquait hier du train de Moscou, un dîner, un lit haut, une femme gémissant de plaisir. Otar était donc aussi crédule que moi. « Un artiste à qui il faut du beau et du tendre… »

La pluie se calma, je rabattis sur le dos la capuche de mon habit, respirai comme en sortant à l'air libre. La matinée ressemblait à une chute du jour morne et glacé, la voie argileuse, labourée par des chenilles, faisait penser à une route de guerre. Je contournai l'angle de la forêt, débouchai sur le chemin qui menait à Mirnoïé. Le village se découvrit bientôt derrière la grisaille humide et me parut plus désert que les hameaux dépeuplés que j'avais visités depuis deux mois dans mes errances.

Et la maison la plus inhabitée était celleci, cette isba avec de jolis rideaux en dentelle aux fenêtres. La femme qui y vivait devait, en ce moment même, dormir dans les bras d'un homme, quelque part à la ville. Un grand lit chauffé par leurs corps alourdis d'amour, l'eau de Cologne masculine mêlée à cette note amère et sucrée de Moscou la Rouge...

La porte s'ouvrit quand j'étais à une vingtaine de pas du perron. Je vis la silhouette de Véra, puis son brusque recul, sa disparition. Un seau vide tomba sur les marches, roula par terre avec un bruit de ferraille. Je m'approchai, la porte était refermée et la maison paraissait de nouveau abandonnée. J'hésitai à frapper, ramassai le seau, le remis sur le perron. Après quelques secondes de piétinement sous les fenêtres, je repris mon chemin sans avoir vraiment compris ce qui venait de se passer.

Dans ma tête embrumée d'alcool et des paroles inutiles de notre nuit blanche, un calcul se fit : revenue si tôt le matin chez elle, Véra n'aurait pas pu passer la nuit avec un amant, à moins de rentrer dans le noir, par des routes difficilement carrossables même en plein jour. Ou bien c'était un accouplement bref, cette simulation de l'amour que j'avais failli exécuter avec la professeur d'histoire. « La vie n'est rien d'autre que la moiteur tiède d'une aisselle féminine… », me rappelai-je avec la nausée. Soudain, cette joie irréfléchie, violente, trop violente pour le constat si simple qui la provoqua : la femme qui venait de laisser tomber ce seau n'avait rencontré personne et, comme toujours, elle était rentrée toute seule.

Je regardai autour de moi. L'étain froid du lac, les rondins sombres de la façade de la bâtisse de l'ancien siège administratif… Et ce miroir cassé en deux, oublié près du perron vermoulu. Je m'arrêtai, jetai un coup d'œil dans sa surface terne, striée de gouttes. Et comme Véra, je fis un bref mouvement de recul…

Un soldat, vêtu d'une longue cape, noire de pluie, aux bottes lourdes de boue des chemins, posait sur moi un regard calme et grave.

III

1

Elle parlait avec un air à la fois concentré et absent. Sous la table, qu'en prévision de sa visite j'avais recouverte d'un carré de tissu, je voyais ses pieds déchaussés. Des escarpins rouges, d'un modèle qui avait dû être à la mode une quinzaine d'années auparavant, étaient couchés sur le côté, à la manière des chaussures féminines jetées négligemment au bas d'un lit d'amour. Des chaussures peut-être trop étroites pour elle à présent. Leurs talons étaient enrobés de terre, de cette masse argileuse sur la centaine de mètres qui séparait nos deux isbas. Elle parlait, le regard ensorcelé par l'éclat d'un verre qui réverbérait la flamme d'une bougie. Ces bougies, le tendre râle d'un chanteur de jazz... J'avais tenté de créer une ambiance.

« Pourquoi mentir ? Parfois j'ai peur, oui, j'ai

véritablement peur qu'il revienne… Maintenant la vie est derrière moi… Mais même avant, je craignais ce retour… Hier, quand je vous ai vu, habillé de cette cape militaire, j'étais morte de peur. Les premières paroles, les premiers gestes… Je les ai préparés pour lui depuis trente ans et soudain, je ne savais plus quoi faire. »

Je la laissais parler comme une hypnotisée dont on essaie de ne pas interrompre les aveux. À la curiosité se mêlait un avant-goût puissant de vérité. Plus que les paroles, c'est son corps, l'abandon de son corps qui trahissait la vérité définitive de sa vie. Une femme comme celle-là, cette idole impassible, inflexible face au temps, indifférente au destin, pouvait donc être ça aussi : une femme amollie par deux verres d'alcool sucré, les joues empourprées comme chez une adolescente, des confidences désarmées, colorées par une sentimentalité de vieille fille de province, le plaisir évident de passer une soirée « aux chandelles », un dîner « mondain » accompagné de slows langoureux, de ce traînant « when the down flames in the sky, I love you… »

Oui, la vie, la vraie, ce permanent mélange de genres.

Fier de cette sagesse, neuve pour moi, je jouais les magnétiseurs, en reversant du vin, en changeant les cassettes, en murmurant des questions d'une voix à peine audible pour que l'endormie ne se réveille pas.

« Je vous ai vue partir l'autre jour, le soir, vous êtes allée où ?

– Hier, non, c'était avant-hier, je suis allée à la gare… J'ai attendu le train de Moscou… Cela m'arrive de temps en temps. Toujours presque le même rêve : la nuit, le quai, il descend, se dirige vers moi… Cette fois, c'était peut-être encore plus réel qu'avant. J'étais sûre qu'il viendrait. J'y suis allée, j'ai attendu. Tout cela est déraisonnable, je sais. Mais si je n'y étais pas allée, un lien se serait rompu… Et ce ne serait plus la peine d'attendre… »

Ses paupières battaient lentement, elle leva sur moi un regard, vague et attendri, qui ne me voyait pas, qui allait me voir après le passage des ombres qui étaient en train de le traverser. Je devinai que durant cette cécité, je pouvais tout me permettre. Je pouvais lui prendre la main, je touchais déjà cette main, mes doigts remontaient sans peser sur son avant-bras. Nous étions assis côte à côte et la sensation d'avoir cette femme en ma possession était d'une force et d'une tendresse extrêmes. Je chuchotai presque :

« Et quand vous avez vu qu'il n'y avait personne, vous êtes rentrée tout de suite ? » Il me semblait avoir trouvé la cadence et le timbre qui ne risquaient pas de la tirer de son assoupissement éveillé. Ma main entourait doucement son épaule, le geste, si elle était revenue brusquement à elle, aurait encore pu passer pour une familiarité amicale due à la fête et au vin.

« Oui, je suis rentrée… Mais pour la première fois de ma vie, peut-être, j'ai eu envie de… de m'oublier, d'oublier tout, de m'étourdir comme une gamine. En fait, de vivre légère… Comme maintenant, avec cette musique, un peu stupide, ce vin… »

Son épaule s'écrasait doucement contre ma poitrine et quand elle parlait, le son de sa voix se répercutait en moi déjà par vibration physique. Rien ne séparait plus nos corps, seul son chemisier en soie blanc, d'une coupe innocente et démodée, et ces ombres qui se retiraient lentement de son regard. Mon bras dérapa doucement sur son épaule, glissa sur sa taille. Ses cheveux sentaient les feuilles de bouleau trempées dans l'eau chaude...

Pendant quelques secondes nous réussîmes, d'un accord tacite, à ne pas remarquer ce bruit. À le prendre pour le cognement insistant d'une branche du sorbier contre la vitre, dans le souffle de la mer Blanche. Mais il n'y avait pas de vent cette nuit-là. Nous nous séparâmes, regardâmes vers la fenêtre. La moitié d'un visage fardé du jaune des bougies nous observait de l'extérieur. Un petit poing, fortement serré, tremblait contre la vitre. Dans le bref coup d'œil que nous échangeâmes se laissa deviner notre peur et surtout l'absurdité de cette peur, cette crainte devant un revenant. Véra rajusta son chemisier, j'allai ouvrir pendant qu'elle cherchait ses chaussures sous la table. Sur le perron se tenait Maria, une petite vieille courbée, qui vivait dans l'isba voisine des bains.

« Katérina est très mal, il faudra aller la voir... »

Elle le dit en évitant de me regarder comme si seule Véra se trouvait dans la pièce. Délicatesse paysanne, pensai-je, en reculant vers le mur. Accompagnée de la vieille, Véra s'en alla, en enfilant son imperméable déjà dehors, comme font les médecins de campagne réveillés en pleine nuit. En rangeant les restes de notre dîner, je me disais avec une rancœur moqueuse que cette intercession du destin (non, du Destin !) allait sans doute être mille fois interprétée et commentée dans les longs soliloques nocturnes de Véra durant l'hiver. Et j'eus une envie mordante de provoquer ce fameux destin, de plumer cet ange gardien surgi sous couvert d'une petite vieille desséchée.

2

Je le fis le lendemain, en réinvitant Véra chez moi, pour lui montrer, sur un mode plus badin, que nous pouvions facilement déjouer les mauvais coups de la fatalité et que le temps n'avait rien d'irrévocable. Je me sentais d'autant plus en droit de le faire qu'à midi j'avais vu le médecin local sortir de la maison de Katérina. À Véra qui le suivait, il lança avec un soupir désagréable : « Vous savez, à son âge... » Son ton voulait dire plutôt : « Vous ramassez toutes ces croulantes, bonnes à être enterrées, et moi, je suis obligé de me défoncer le derrière sur quarante kilomètres de nids-de-poule... » Je me souvins que le pope qui était passé chez Anna quand elle se mourait avait fait exactement la même moue renfrognée.

Je craignis un moment que Véra refuse de venir. Elle accepta facilement et vint en apportant une bouteille de vin et une assiette de champignons salés : « Vous vous rappelez, on les a cueillis en allant chercher Katérina. »

Étrangement, sa simplicité m'entrava. Tout commença à se dérouler comme la veille mais à présent je savais que cette femme au grand corps mûr allait d'une minute à l'autre se retrouver nue, dans mes bras. Non, le corps n'y était pas pour grand-chose. La femme nue dans mes bras serait cette femme qui depuis trente ans… Cela paraissait parfaitement inconcevable. Mes gestes devenaient empruntés, je riais aux éclats tout en sentant mes traits figés… Tantôt ridiculement familier et gouailleur, tantôt engoncé, presque muet.

Au bout d'un moment, c'est elle qui menait la conversation, nous servait, transformait mes offensives maladroites en petites gaffes anodines. Au dessert, après l'une de ces gaucheries qu'elle venait de rattraper en plaisantant (ma main posée sur son avant-bras parut aussitôt plus déplacée qu'eût été un marteau au milieu de nos tasses), elle se mit à parler d'Alexandra Kollontaï.

« Chaque génération a sa façon de flirter. Dans les années soixante, quand j'étais à Leningrad, les hommes qui vous abordaient et qui voulaient surtout brûler les étapes n'avaient que cela à la bouche : "la théorie du verre d'eau" de Kollontaï. Dans la fièvre révolutionnaire, la belle Alexandra, grande amie de Lénine, avait concocté ce précepte : assouvir son instinct charnel est aussi simple que boire un verre d'eau. Cela paraissait tellement vital que, durant les premières années après 1917, on projetait très sérieusement de construire dans les rues de Moscou des cabines où les citoyens pourraient satisfaire leur désir physique. Le meilleur flirt est l'absence de tout flirt. Le passage à l'acte immédiat. On se croise dans la rue, on trouve la cabine la plus proche, on boit son "verre d'eau", on se sépare. Une grosse pierre dans le potager des convenances bourgeoises. Lénine a condamné précipitamment cette théorie comme le fruit d'un gauchisme déviant. Avec un argument, d'ailleurs, plein de bon sens, auquel les jeunes devraient tendre l'oreille : "Même si vous avez très soif, disait-il, vous n'allez pas cependant boire dans une mare douteuse..." Un peu de discernement, quoi !

Et donc, quand un jeune homme des années soixante me proposait de partager le verre d'eau nimbé de l'autorité morale d'Alexandra, j'avais une réponse toute faite, très léniniste : regarde, mon petit, cette vieille femme que je suis, ne te rappelle-t-elle pas une mare d'eau croupie ? C'était plutôt efficace... »

Elle se leva, refit du thé, retourna la cassette qui venait de s'arrêter. Assis raide, vidé de toutes les paroles préparées, je pensais à la génération des années soixante-dix, à notre façon à nous de flirter. C'était bien moins vivant en fait que ce verre d'eau révolutionnaire. Un slow chevrotant, des bougies, une bouteille d'alcool d'importation et, le comble, un journaliste américain comme preuve tangible de notre engagement contestataire. Pour le reste, rien n'avait changé. Des corps qui cherchaient à s'accoupler, c'est tout. Véra avait voulu me le faire comprendre en parlant d'Alexandra.

« Et qu'est-ce qui lui est arrivé après ? »

J'étais vraiment curieux de le savoir même si ma question semblait vouloir me tirer de mon embarras.

Véra passa un moment à réfléchir, l'air de se

souvenir d'un épisode de sa propre vie. Elle s'assit et paraissait moins vigilante qu'au début, légèrement assoupie, le regard envoûté, comme la veille, par le reflet d'une bougie.

« Après… Après, elle s'est mariée. Enfin, un mariage très libre, avec un homme de quinze ans son cadet, un fringant commissaire rouge, un Cosaque qui avait le culot d'annuler les ordres de Lénine lui-même. Elle a vécu toutes sortes d'aventures, guerrières et amoureuses. A aimé aussi des femmes, paraît-il. Et puis, elle a vieilli et son mari est tombé amoureux d'une autre femme, non pas comme d'un verre d'eau mais pour de vrai, cette fois-ci. Elle a atrocement souffert de la jalousie. Elle qui avait tant combattu ce préjugé bourgeois. Puis, dans une lettre, a reconnu qu'il y avait ces choses si simples et si douloureuses comme l'âge d'une femme, l'attachement exclusif envers une personne, l'insoutenable souffrance de la perdre, la fidélité, oui, la fidélité et… Et encore plus bêtement et simplement, l'amour. »

Je la devinai exactement dans le même état d'abandon que durant la soirée précédente. Il m'eût été très facile maintenant de l'étreindre, de l'attirer vers moi, de l'embrasser. Elle se serait

laissé faire, j'en étais sûr. Très facile et parfaitement impossible. On entendait le crissement du
feu dans le grand poêle en pierre, le froissement
d'une branche contre la vitre. Dans ses yeux, figés
sur la danse d'une flamme, s'épaississaient des
ombres.

Une bûche craqua, une gerbe d'étincelles
jaillit, en éventail, sur le plancher. Elle tourna le
visage vers moi, parla d'une voix subitement
grave :

« L'autre jour, j'ai trouvé une lettre d'Otar.
C'est vous qui l'aviez sans doute apportée… La
première vraie lettre depuis trente ans. Il parle
justement de ces choses-là : l'attachement définitif, la fidélité, l'attente. Se dit prêt à attendre.
À changer complètement sa vie. À revenir ici,
dans cette contrée où il a été assigné à résidence.
Vivre à Mirnoïé. Avec moi. Et s'en aller si l'autre
(il écrit : "l'homme qui doit revenir") revenait… »

Ses lèvres étaient entrouvertes, elle respirait
par petites saccades, comme après avoir couru.
J'eus précisément l'impression d'une course,
d'une fuite en avant qui se terminerait par une
chute, par un long cri de douleur et des sanglots.
Maladroitement hâtif, je demandai :

«Et vous allez lui répondre?»

Elle me jeta un regard étonnamment lucide, presque dur :

«C'est déjà fait.

– Et…

– Et c'est non. Car celui qui doit venir viendra. Sinon l'amour n'est qu'un verre d'eau vite avalé, comme disait notre belle Alexandra…»

Elle sourit, se leva, alla chercher son manteau. Sortant de ma torpeur, je lui tendis ce long manteau de cavalier. Un souffle froid, hivernal, se dégagea de ses pans. Avec une légèreté très amicale, elle me souhaita bonne nuit, m'embrassa rapidement sur la joue. Seuls les menus frémissements aux commissures de ses lèvres trahissaient ce qu'elle parvenait à maîtriser.

Je restai dehors tant qu'elle n'atteignit pas le perron de son isba. Elle marchait lentement, donnant l'impression de refréner le désir de courir, de se sauver. La torche électrique dont elle balayait distraitement le chemin dardait parfois son faisceau vers le haut et la lumière butait alors contre l'infini morne du ciel.

3

Je vins avant le début de leur concert, pour assister, en cachette, à la répétition. Le vieux cérémonial nuptial m'était déjà plus ou moins connu. J'avais surtout envie de voir l'émergence hésitante des personnages, le flou des mouvements oubliés qui, soudain, renaîtraient dans la mémoire des corps. J'étais curieux d'entendre ces vieilles voix qui allaient s'accorder peu à peu, surmontant le silence de plusieurs années... Contournant l'isba de l'ancienne bibliothèque villageoise où le spectacle devait avoir lieu, je me tapis sous une fenêtre. Le quart de sa vitre, brisé, était remplacé par du contreplaqué, j'entendais bien ce qui se disait à l'intérieur.

Toutes les « pensionnaires » de Mirnoïé étaient

là, sept femmes qui s'étaient vêtues de longues robes d'un autre âge, de châles fleuris. Du blanc, du roux doré, du noir. Fastes campagnards dont on distinguait, même à travers la vitre, la texture élimée et les coloris éteints. Katérina, petite et sèche, habillée d'une sorte de sarafane orange trop large pour elle, tournait le dos à la fenêtre, dirigeait le chœur. Les autres, postées en demi-cercle, les bras croisés sur la poitrine, suivaient ses directives avec docilité. Le statut de chef d'orchestre s'imposait tout naturellement : Katérina était seule à se rappeler la totalité des chants et des pas qui composaient ce rituel d'autrefois.

Elles le préparaient à la demande de ce grand savant leningradois que, usurpateur malgré moi, j'étais à leurs yeux.

D'ailleurs, la répétition se trouvait souvent interrompue par des discussions brèves mais véhémentes dont j'étais l'objet. Ou plutôt ma relation avec Véra. Deux opinions s'affrontaient : intrus dangereux et amoral pour les unes, les majoritaires, je devenais, selon mes deux avocates, «un gars bien qui sait fendre du bois comme pas un». Katérina que son rôle prédestinait à être modératrice évoquait ma conduite exemplaire quand je l'avais portée à travers la forêt, mais convenait néanmoins que « les Leningradois d'aujourd'hui ont le cœur en granit, comme leur ville... ».

En vérité, juger de ma valeur humaine n'était, pour elles, qu'une manière d'évoquer la contradiction que personne n'osait trancher : leur monde construit sur le culte voué aux victimes de la guerre se serait écroulé si l'on avait appris que la fidélité de Véra pour son soldat venait d'être brisée par un nouvel amour et, pourtant, en femmes qui avaient tant souffert de la solitude, elles ne pouvaient lui souhaiter que d'être aimée, quitte à succomber à un amour intempestif, tardif, irrespectueux des traditions, un amour qui la sauverait et la perdrait à la fois. Je constatai que les deux soirées passées en compagnie de Véra avaient suffi pour faire de moi, dans l'esprit des femmes de Mirnoïé, un amant fougueux et persévérant. Jamais elles n'évoquèrent la différence d'âge qui me séparait d'elle. Presque toutes octogénaires, elles nous associaient en un couple où ma barbe de trois mois répondait parfaitement au reflet de jeunesse que dégageaient les traits de Véra.

« L'amour c'est comme les crues au printemps, déclara Katérina, on n'y peut rien. Même si c'est l'automne maintenant… »

Quelques voix rétorquèrent, mais elle effaça les protestations par une jolie ondulation des mains et le chœur attaqua, avec une cohésion déjà presque parfaite. Et quand, en soliste, elle leur répondit, d'une voix étonnamment claire et ferme, leurs bisbilles d'avant parurent dérisoires, juste un petit échauffement pour les cordes vocales.

« Il viendra d'au-delà de la mer, de la mer Blanche, vaste et froide », chantait Katérina et le chœur reprenait : « … de la mer Blanche, il viendra… »

« Il viendra avec l'aurore qu'il trouvera là où le soleil se couche, il l'amènera pour toi, d'au-delà de la mer », sa voix devenait plus songeuse et le chœur répondait en écho plus lointain, en marquant le chemin parcouru par le voyageur.

« Zoïa, tu es toujours un peu en retard, essaie de suivre. Sinon, on va penser que tu t'endors… »

Katérina interrompit le chœur, les femmes bougèrent. « On va penser… » « On », c'était moi. Je me glissai sous la fenêtre, pour aborder la mai-

son de face et, avant de frapper à la porte, j'imi-
tai des pas lourds et bruyants sur les marches du
perron. La directrice du chœur vint m'ouvrir. Ses
joues pâles étaient ravivées par l'émotion de la
générale.

La première me toucha, au début, moins que
la répétition. La présence du public, en ma personne, rendit les vieilles femmes plus rigides, inuti-
lement solennelles. Ou peut-être, au contraire,
avaient-elles atteint, se donnant enfin pleinement
à leur jeu, cette pesanteur hiératique qu'exigeait la
cérémonie de jadis. Une gravité de terre labourée,
une fixité d'idoles de bois, totems païens, que leurs
ancêtres clouaient sur les portails des isbas. En
mimant les scènes du mariage, elles s'avançaient
avec la lourdeur menaçante des statues vivantes.
Leurs voix, par contraste, résonnaient d'une
sincérité et d'une douceur désarmantes, avec des
intonations qui, comme toujours chez les artistes
amateurs, trahissaient plus les émotions person-
nelles que celles des personnages.
À un moment, cette distance entre le jeu du
rituel et la vérité des voix devint douloureuse. Les
corps jouaient le fiancé et son élue qui montaient

dans une barque et s'apprêtaient à parcourir la mer Blanche. On imaginait facilement qu'en réalité cette traversée épique se passait non pas en mer, mais sur le lac qui bordait Mirnoïé et que l'endroit « où naît l'aurore » était la petite colline sur l'île. Les vieilles comédiennes agitaient lentement les bras pour imiter le mouvement des rames. Je pensai que Véra était justement en train de naviguer peut-être, rentrant au village dans sa barque. Elles jouaient aussi cette traversée-là. Avec un dévouement touchant. Mais les voix ne trompaient pas.

« Il viendra malgré les brouillards et les neiges, pour t'aimer… », chantaient-elles. Mais leurs lèvres avouaient ce qu'elles avaient réellement vécu, elles : des hommes qui partaient et qui disparaissaient à jamais dans les fumées grasses de la guerre, des hommes couverts de blessures qui revenaient pour mourir sur le bord de ce lac.

« Et votre maison sera pleine de joie comme une ruche pleine de miel… » Et la sonorité des voix disait la solitude des isbas ensevelies sous la neige où elles avaient failli terminer leurs jours.

« Il viendra, entonna Katérina d'une voix plus forte qui marquait la fin proche de la cérémonie, il viendra, les bras fatigués par le voyage mais le cœur tout vif pour toi... »

Soudain, nous vîmes Véra.

Elle était arrivée visiblement bien avant cette dernière partie de la représentation et, inaperçue, était restée accotée au chambranle de la porte, sans vouloir interrompre le chœur.

C'est sa fuite qui l'avait trahie. La porte grinça, nous nous retournâmes, elle était là, la main sur la poignée. Ses traits étaient torturés par un sourire figé, ses yeux s'agrandissaient sous les larmes retenues.

Le chœur se tut. Seule Katérina dont la vue était très faible continua à chanter :

« Il viendra malgré la tempête de neige... Il viendra pour t'emmener là où l'aurore naît... Il viendra... »

Je sortis en courant, mais Véra était déjà loin. Elle se sauvait sans plus se cacher, se dirigeant à l'aveugle vers les saulaies du lac. Je passai un moment à essayer de la retrouver puis rentrai pour l'attendre près de son isba. À ma très grande surprise, elle était déjà chez elle, en train de remplir une valise.

« Je pars demain à Arkhangelsk, pour trois jours. Vous savez, c'est la fête de la ville à laquelle on a convié toutes les célébrités locales. Dont moi, bien sûr. Je ne sais pas d'ailleurs à quel titre. Sans doute, comme une héroïque instit sentant fort la glèbe. N'importe, ça sera l'occasion d'acheter des médicaments pour les vieilles. Si vous êtes encore là et que vous voyez que l'une d'elles ne va pas bien, je vous laisse à tout hasard les coordonnées du médecin. Il est à vingt kilomètres de Mirnoïé mais en coupant par le lac, vous êtes chez lui en une heure… »

Je me souvins alors de ces festivités qui allaient commencer ce mois-ci et durer, d'une manifestation culturelle à l'autre, jusqu'à l'année prochaine, avec la parution d'un album pour lequel on attendait ma contribution sur les traditions indigènes. « Sur le rituel nuptial, pensai-je, chanté par des vieilles qui ont perdu leur mari ou leurs fils il y a plus de trente ans… »

Le matin, je vis Véra partir. Elle portait un manteau rose clair, ses cheveux étaient relevés en chignon. Dans l'air glacé et limpide flotta, un instant, l'amertume de son parfum Moscou la Rouge. Il y avait dans sa démarche, dans toute son attitude, la résolution agressive d'une femme prête à tout pour tenter sa dernière chance.

« Bêtises ! interrompis-je tout de suite cette réflexion. Simplement une femme qui accélère le pas de peur de rater le passage d'un camion, au carrefour de la boîte aux lettres vide… »

J'éprouvai presque du soulagement après son départ, une sorte de délivrance. Sereinement, je me mis enfin à préparer mon départ à moi, c'est-à-dire à jeter quelques livres ou cahiers au fond d'une valise et puis à errer, loin du village, dans la cathédrale sombre et lumineuse de la forêt.

4

Dans un des villages abandonnés, cette demi-feuille de papier quadrillé fixée à la porte de l'ancienne épicerie : « Je reviens dans une heure »… Encre délavée, inscription à peine lisible. Une porte fermée sur une maison désertée depuis de longues années. Et cette promesse de revenir dans une heure.

« Tout ce qui reste après la mort d'un empire », me disais-je souvent en tombant, durant ces heures de marche, sur les vestiges de l'époque que nous aimions si peu. L'époque qui voulait transformer cette contrée du nord en grand paradis collectiviste et qui laissait à présent cette immense solitude égayée par quelques inscriptions involontairement ironiques et bientôt indéchiffrables.

L'indigo dense des sapinières, le roux des sous-bois, la violence du bleu, en une percée éclatante, dans la grisaille du ciel. Et parfois, le reflet lourd, brun, de l'eau d'un étang au creux d'un fourré. Le noir, l'ocre, le bleu. C'est ça plutôt qu'on retrouvait après la fin d'une époque. « Et après notre passage sur cette terre… », pensais-je en rentrant le soir. Ma valise était déjà presque prête, la maison débarrassée des quelques traces de mon séjour. La vie de Mirnoïé allait continuer paisiblement après mon départ. C'était étonnant, agaçant, évident.

À ces moments, les jours que j'y avais vécus me paraissaient inachevés, gâchés par mes maladresses : très incomplète cette rencontre avec Véra, avec son passé, avec ce qui, brièvement, s'était créé entre nous. Quoi d'ailleurs ? Les mots pour le nommer venaient, prétentieux, encombrants : attachement, désir, jalousie… Je reprenais mon chemin, le regard plongé dans l'or sombre des feuillages déchus, dans le blanc d'un nuage happé par le lac. La mouvante pérennité de ces visions exprimait beaucoup mieux ce qui nous avait, si indéfinissablement, rapprochés.

Chaque matin, je projetais de pousser mon expédition jusqu'à la mer Blanche. Et chaque fois, je reculais. Le premier jour, pour la bonne raison, vaguement hypocrite, de ne pas vouloir laisser les vieilles sans aide. Elles n'avaient pas vraiment besoin de moi. Telles des enfants sages, elles faisaient tout pour ne pas tomber malades («Pour ne pas mourir!», plaisantai-je cyniquement) pendant que Véra n'était pas là. Fidèle à ses consignes, j'alimentai leurs réserves d'eau, fendis du bois, vins les voir l'une après l'autre. Même les plus faibles manifestèrent une joie de vivre à toute épreuve. Je me promis d'aller à la mer Blanche le lendemain matin.

Je fus empêché par un souvenir, bénin et menaçant à la fois.

À mi-chemin du but, j'entrai dans un village que je ne reconnus pas tout de suite. Des isbas inhabitées, des toits au glui en loques, un étang envahi de joncs. Peu à peu la reconnaissance se fit, Gostévo, le village de Katérina... Le sentiment de pénétrer dans un lieu interdit surgit, augmentant à mesure que je m'approchais de sa maison. Le petit banc sur lequel j'étais assis en attendant l'issue de la discussion entre elle et

Véra. Le perron dont les planches crissèrent sous mes pas.

J'éprouvais le sentiment désagréable de violer un lieu, de profaner un passé. La porte s'ouvrit docilement. Dans la lumière terne du jour sans soleil, l'intérieur de la pièce apparut incertain, chargé de méfiance. La même construction en gigogne s'élevait au centre de la pièce : la maisonnette dans la maison. Une paire de vieilles bottes de feutre, aux talons troués, se dressait près du poêle, telles des jambes coupées prêtes à la marche. En surmontant une crainte trouble, superstitieuse, je poussai la porte de la maisonnette. Un tout petit lit, un minuscule tabouret, une étroite tablette en guise de table de nuit. Et traînant par terre, une enveloppe jaunie. « Une vieille lettre qu'elle relisait chaque soir », pensai-je, en référence aux poncifs des livres et des films…

Non, c'était une sorte de dernier mot préparé par cette femme qui s'attendait à mourir seule. D'une écriture large et appliquée, elle indiquait son nom, son prénom, son lieu et sa date de naissance. Au verso, elle avait marqué, sur une colonne, le premier de chaque mois, sans doute pour qu'on puisse établir le moment approximatif de son décès… Et en bas de la page, toujours de cette écriture un peu scolaire, était ajoutée cette demande : « Prière, s'il était possible, de planter sur ma tombe un églantier. Mon mari, Ivan Nékiforovitch Glébov, mort pour la Patrie en août 1942, aimait cet arbuste. »

En quittant l'isba gigogne, je repris la route de Mirnoïé, la même que nous avions suivie en emmenant Katérina vers sa nouvelle maison.

J'arrivai à la chute du jour et décidai de laisser la lettre de Katérina chez Véra, en ajoutant un petit mot : fallait-il rendre ces tristes notes à la vieille femme à présent que sa situation était tout autre ? En fait, je profitai de cette enveloppe ramassée pour pénétrer, l'espace d'une minute, dans la maison de Véra. Les portes n'étaient jamais fermées à clef à Mirnoïé.

Dans la pièce principale, rien n'avait bougé depuis notre dernière rencontre. « Un logement de nonne ou de vieille fille », pensai-je méchamment et je devinai que le jugement était vrai vu le dépouillement des lieux mais faux pour l'essentiel. Car une présence féminine dense et troublante s'y faisait sentir malgré l'ordre apparent. Derrière la porte entrouverte de la chambre, je voyais un lit haut, à la mode villageoise, aux montants de fer. Un chemisier était suspendu sur un cintre près du poêle… Non, finalement ce n'étaient pas ces confidences épiées qui trahissaient le secret de Véra. Plutôt le souvenir d'une femme qui dans la lumière d'un couchant d'août retirait des filets sur la berge. Son corps se découvrait sous les plis d'une robe mouillée. Une autre femme, à la nudité bleuie par la lune, devant la porte des bains, dans une nuit de septembre. Une autre, celle qui me tendait une rame dont le bois gardait la chaleur de sa main. Une autre encore, assise sur l'extrémité du banc, le regard fixé sur le croisement des chemins. Celle aussi que je tentais d'hypnotiser par mes caresses hésitantes.

Toutes ces femmes étaient là. Non pas dans cette pièce, mais en moi, devenues, à mon insu, partie de ma vie. La veille encore, Mirnoïé ne me semblait qu'un rapide épisode bientôt clos.

Avant de sortir, je me retournai pour garder en pensée l'intimité silencieuse de cette pièce. Étrangement, ce dernier coup d'œil me rappela l'habitation gigogne de Katérina. J'imaginai Véra seule, ici, en plein hiver, essayant de voir à travers les vitres enrobées de glace…

Sans me laisser le temps de réfléchir, j'empoignai le bord du long banc et le poussai plus à l'intérieur de la pièce. Puis, je fis reculer de même la grande table. Des meubles en grosses planches, d'une lourdeur cyclopéenne. À présent, en se plaçant à l'extrémité du banc, on ne voyait plus le lointain carrefour, mais l'étendue du lac déjà empli d'un ciel violet.

Le troisième jour, je ne partis pas, trompé par le jeu incessant des lumières. L'ouest se couvrait de nuées basses, plombantes, promettant un assaut de neige. Puis, venant du sud, un souffle ensoleillé se levait, les troncs des sapins devenaient roux, chauds, exhalaient la résine fondante. À l'abri, on se sentait au printemps, au début d'une journée sans fin, au commencement d'une vie neuve. Avec la légèreté de ces voyageurs qui ne pensent pas au retour, je me lançais sur la piste qui menait vers la mer Blanche. Une heure après, le ciel s'éteignait, l'air s'imprégnait de l'acidité des glaces, je rebroussais chemin. En attendant une nouvelle illusion de printemps.

Ce mirage lumineux éclaira la forêt au moment où je cherchais à franchir un cours d'eau. Cette étroite rivière, d'une transparence de thé fort, m'était connue. On la traversait quand, en allant à Mirnoïé, on voulait couper par la forêt. Mais son niveau avait visiblement monté et le gué qu'il m'était déjà arrivé de passer se cachait à présent sous un long ondoiement de tiges d'algues. Je m'agenouillai, bus une gorgée glacée, brûlante comme de l'alcool puis, avec la mauvaise conscience d'un géant qui détruit la beauté fragile du flux et du sable finement ondulé, je me mis à avancer, soucieux de ne pas remuer le fond où dormaient quelques feuilles mortes. Le soleil venait de percer, ce fut de nouveau le printemps, une errance sans but, l'éblouissement des éclats mordorés qui vibraient dans la densité du courant.

J'étais à quelques pas de la rive opposée, quand le bruit d'une course me parvint. L'endroit où je posai le pied était le plus profond de la rivière, l'eau glissa tout près du bord de mes bottes en caoutchouc. Je m'immobilisai dans une posture indécise et comique, sans pouvoir avancer ni oser reculer. Le fracas des branches cassées éclata alors et me figea davantage. J'imaginai un fauve qui, poursuivi ou poursuivant, ou me poursuivant, allait déboucher sur la rive.

Après un lent pas tâtonnant en arrière, je me retournai sur le piétinement de plus en plus proche. En un rapide spasme de peur, tous les récits de chasse défilèrent dans mon souvenir : un élan blessé et qui dans sa souffrance mortelle écrase ceux qui se dressent sur son passage, un ours dérangé au début de son hibernation et qui en devient mangeur d'homme, une meute de loups sur la trace d'un cerf… Fallait-il fuir, les bottes pleines d'eau, ou bien profiter de ma fixité terrifiée qui avait quelques chances de me rendre invisible ? Malgré la fébrilité de mon regard, j'eus le temps de remarquer une fourmilière sur la rive d'où venait le bruit…

Les branches des jeunes sapins remuèrent, une forme vivante surgit, se précipita vers l'eau. C'était une femme. Une seconde après je reconnus Véra. Elle s'agenouilla à une vingtaine de mètres en amont de mon enlisement, but par saccades, se releva, respira avec le halètement d'une bête aux abois. Son visage, embrasé par la course, paraissait incroyablement rajeuni, à la fois ressuscité et aveuglé par une commotion inconnue. Au bord d'un grand cri de joie sauvage, au bord d'un sanglot, je n'en savais rien. J'allais la héler mais me sentis trop ridicule dans mon échouage par quarante centimètres de profondeur, et décidai d'abord de me dépêtrer, puis de la rattraper sur le sentier. Le temps me manqua car dès qu'elle eut repris son souffle, elle s'élança de nouveau, traversa la rivière à l'endroit du gué que je n'avais pas trouvé. Je vis qu'elle était chaussée de bottillons à talon, très peu faits pour la forêt. L'eau fusa sous ses pas, se calma, apporta vers moi un tourbillon de sable. Elle courait déjà à travers la forêt, au bout de quelques secondes le vent sifflant dans les sommets des sapins effaça le bruit de sa fuite.

Un filet d'eau glacée filtra soudain dans ma botte gauche, tranchant comme un rasoir. Je m'éveillai, tirai mes pieds enlisés, allai vers la berge, sans plus me soucier du gué. Et quand, calmé par la marche, j'essayai de comprendre l'apparition de Véra, une idée me vint à l'esprit et me montra de quel degré de fatuité est capable un homme qui croit aimer. Assez sérieusement, je pensai qu'elle avait quitté la ville de peur de ne plus me revoir avant mon départ, qu'elle tenait absolument à me rencontrer encore une fois...

La vue de Mirnoïé, de ses isbas tassées sous un ciel de nouveau brouillé de grisaille me rendit moins sûr de mon importance. « Sans doute une des vieilles est-elle tombée malade, Véra l'a appris sur le chemin du retour et, dévouée comme elle est, s'est précipitée en coupant par la forêt. En tout cas ce n'était pas pour mes beaux yeux… »

Une heure après mon retour, quelqu'un frappa à ma porte. Sur le perron je vis Véra. Sous le manteau rose pâle jeté sur ses épaules, elle portait une jupe au ras des genoux, le beau chemisier que j'avais vu suspendu sur un cintre près du poêle de sa maison, ses cheveux étaient noués en une large natte entretissée d'un ruban écarlate, ses yeux légèrement étirés par un trait de crayon me dévisageaient avec un sourire qui me sembla à la fois agressif et désarmé.

« La fête officielle est terminée, me dit-elle d'une voix un peu trop chantante, mais nous pourrions nous aussi peut-être fêter l'anniversaire de la ville. Venez me voir. Le dîner est prêt. »

Elle me tourna le dos et s'en alla, sans se préoccuper, eût-on dit, si je la suivais ou non. Peu certain de la réalité de ce qui se passait, de ce

qui surtout pourrait se passer, je courus me changer, attrapai la grande cape en toile de tente et me
jetai dehors. La silhouette en manteau risquait
à tout moment de disparaître dans la rue déjà
nocturne.

5

Nous avions peur l'un de l'autre. Ou plutôt l'un pour l'autre. Peur de voir l'autre commettre un impair qui eût mis à jour toute la fausseté de ce dîner aux chandelles. Peur que l'autre s'écarte tout à coup, observe la pièce, la table avec les plats et les bouteilles, le corps qu'il venait d'enlacer. Peur de lire dans ce regard devenu étranger : « Mais qu'est-ce que nous sommes en train de faire ici, dans cette maison perdue au bout du monde, dans cette nuit battue par un vent fou ? Pourquoi nous rions ? Et nous rions si faux ! Pourquoi cette main me caresse la nuque ? À quoi jouons-nous ? »

Un seul coup d'œil appuyé, un seul geste égaré aurait suffi pour transformer ce rendez-vous en une pantomime démente. Son but était connu : nous allions passer la nuit ensemble. C'était la logique même de la mise en scène et c'est cela qui paraissait de plus en plus invraisemblable. De plus en plus attendu et impossible. Cette femme qui me souriait et qui, inclinant sa tête sur le côté, serra ma main entre sa joue et son épaule. Impossible. Comme le goût sucré du rouge à lèvres qu'elle venait de laisser sur ma bouche.

Nous avions peur que l'un de nous se lève et murmure avec un bâillement : « Bon, tout cela n'était qu'une blague, n'est-ce pas ? »

De temps en temps, cette crainte perçait brièvement dans une intonation, dans une mimique et nous nous hâtions de l'escamoter. Nous avions le choix entre deux scénarios : tantôt ce dîner prenait l'allure d'un repas bien arrosé à la paysanne, avec une joie bruyante, avec la familiarité naturelle des proches voisins, tantôt l'ambiance rappelait une fête entre étudiants. Nous nous sentions complices. Il fallait transformer cette vieille isba, ce vent qui secouait les vitres, la chaleur fragile de cette pièce et la chaleur de nos deux corps en une rencontre amoureuse, faire de ce mélange incertain un alliage de chair. Nos mains, nos corps s'exécutaient, nos répliques comblaient vite tout début d'embarras muet. Seuls les yeux échangeaient parfois un aveu glaçant : « Pourquoi tout ça ? Oui, à quoi bon ? »

Ce jeu résista au réel jusqu'à l'instant où nous nous retrouvâmes debout, l'un contre l'autre, sur le seuil de la chambre. Il y eut un silence qu'envahirent rapidement les râles sauvages du vent, les craquements des bûches dans le feu et, plus assourdissant que les bruits, notre désarroi. Malgré la matité de l'ivresse, me vint une pensée très claire : cette femme ne sait pas ce qu'elle doit faire à présent, elle ne sait plus jouer. Le souvenir d'un amour très juvénile surgit en moi, l'ombre d'une première amante et d'une même ignorance face au désir.

Elle dompta ce flottement presque aussitôt. Redevenant une femme mûre, une femme qui sait, faisant passer son hésitation pour la lenteur lascive d'un corps pris de boisson. Elle poussa même un léger ricanement quand je tentai de l'aider à se déshabiller. Nue, elle m'attira vers elle, m'entraîna dans ce grand lit haut que j'avais tant de fois imaginé. J'avais imaginé même cette odeur d'eau de Cologne masculine. La mienne.

Et la senteur de ses cheveux, de sa peau, les feuilles de bouleau séchées ravivées par la vapeur des bains.

Cette femme sûre d'elle disparut dès les premières étreintes. Elle ne savait pas qui elle était en amour. Grand corps féminin aux inexpériences adolescentes. Puis une véhémence musculeuse, combative, imposant sa cadence au plaisir. Et de nouveau, presque l'absence, la résignation d'une dormeuse, la tête renversée, les yeux clos, la lèvre fortement mordue. Un éloignement si complet, celui d'une morte, qu'à un moment, me détachant d'elle, je lui empoignai les épaules, la secouai, trompé par sa fixité. Elle entrouvrit les yeux, teintés de larmes, me sourit et ce sourire se mua, respectant notre jeu, en un rictus trouble de femme ivre. Son corps remua. Elle se donnait avec la frénésie de celle qui cherche à se faire pardonner par un homme ou à le railler. La jouissance me défigura plusieurs fois par des grimaces de mâle comblé. Je rencontrais à ces instants-là son regard, une étonnante compassion que seuls peuvent manifester parfois les simples d'esprit et les mères.

Je réussis jusqu'à la fin à oublier qui était cette femme. Et quand je m'en souvenais le plaisir devenait insoutenable dans sa nouveauté sacrilège et sa terrible banalité charnelle.

La fin fut ce claquement d'une porte ou d'une fenêtre, nous ne sûmes pas tout de suite. Véra se leva rapidement, traversa la pièce, alla dans l'entrée. Lorsque, à moitié habillé, je vins la rejoindre, elle était assise, sur l'extrémité du banc, le corps nu recouvert de son long manteau de cavalier. Elle regardait par la fenêtre et paraissait totalement étrangère à ce qui venait de se passer entre nous. « Mais il n'y a rien eu du tout », pensai-je même dans une brève hallucination. Cette femme était restée toute sa vie clouée à ce banc, à attendre le retour d'un homme… Je bafouillai un salut ambigu, entre une tentative de rester et un adieu. Elle murmura « bonne nuit », sans bouger, sans détacher son regard de la vitre.

6

Dehors, le vent hache fiévreusement dans le ciel le jaune de la lune et les volées verdâtres des nuages. L'air désenivre et c'est avec une lucidité moqueuse que je compare ce paysage alterné à un film d'amour sur fond de clair de lune romantique qu'un projectionniste fou aurait lancé à une vitesse de dessin animé. En arrivant chez moi, je bourre le poêle de grosses bûches, le feu prend facilement, joyeusement. Et le bonheur, brouillé auparavant par l'invraisemblance de ce que je viens de vivre, éclate enfin sans retenue. Je viens de faire l'amour à une femme pareille ! Un écho, déjà insouciant et obscène, lui répond : « J'ai couché avec une femme qui pendant trente ans avait attendu un autre homme ! » Je réussis difficilement à m'en faire honte.

J'ai vingt-six ans, circonstance atténuante. L'âge où l'on s'enorgueillit encore du nombre des femmes qu'on a possédées. Dans ce retour du cynisme qui suit l'amour, je fais à peu près cette même réflexion de comptable. J'évite juste la bêtise de ranger cette femme-là parmi les autres. Une telle femme ! Je pense de nouveau à l'absence de tout homme dans sa vie. Avec fierté, je note mon statut d'élu.

Je m'endors dans un contentement physique et mental parfait, l'idéal de ce qu'une femme peut donner à un homme prêt à ne lui demander que cela.

Ma satisfaction est si sereine qu'au réveil, me rappelant les paroles d'Otar, j'accepte avec bonne humeur sa définition d'homme-porc. Cette joie facile dure à peine une heure. Vient le souvenir d'une journée : une barque entre le ciel et la houle du lac, une femme qui donne des coups de rame fermes, cadencés, le corps d'une morte dans mes bras… Projeté dans un autre ordre de grandeur, je me sens soudain très petit, mesquin, recroquevillé sur un plaisir qui se tasse déjà. Je ne suis qu'un infime accident à côté de cette longue traversée du lac. L'idée me blesse et m'effraie : je n'aurais pas dû m'aventurer dans une dimension qui me dépasse autant. Le souvenir charnel me sauve. La tiédeur souple, dense d'un sein, l'évasement accueillant d'une aine lisse… Je parviens pendant toute la matinée à ne pas quitter ce refuge corporel.

La pluie tombe en une muraille grise. Pas une faille, pas une seconde de répit. J'imagine Véra, sur le chemin de son école. « Une femme qui s'est donnée à moi. » Une chaude bouffée d'orgueil mâle, dans les poumons, dans le ventre. Envie de fumer en regardant dans la rue, envie d'être blasé et mélancolique malgré le bouillonnement jouissif que la pensée de cette conquête agite. Vers trois heures de l'après-midi, à la suite de centaines d'autres scènes imaginées, cette autre : elle, en train de rentrer sur les routes inondées, elle, dans son isba, dans sa cuisine, s'apprêtant à préparer le repas de ce soir, un dîner pour nous deux… Le début de l'agréable routine d'une liaison.

Vers quatre heures, l'idée de sa solitude, après mon départ. La pluie s'arrête, le ciel est d'un acier poli, impitoyable. Elle marchera dans cette rue bientôt ensevelie sous la neige. Les traces de ses pas, seules le matin, seules à son retour de l'école. Elle se souviendra de moi. Elle pensera souvent à moi. Tout le temps peut-être.

Le constat est confusément menaçant mais l'amour-propre flatté prévaut pour le moment : moi, amant lointain, parti sans laisser d'adresse.

À six heures on frappe à ma porte. La grande Zoïa. Elle entre avec une lenteur cérémonieuse, pénètre dans la pièce seulement après la troisième invitation, selon la coutume. S'installe, accepte de boire un thé. Et quand le thé est bu, sort de sa poche un journal, non pas la gazette locale mais un quotidien d'Arkhangelsk qu'elle déplie et étale soigneusement sur la table. Des comptes rendus des festivités à l'occasion de l'anniversaire de la ville, les photos des personnalités connues, nées dans la région et qui se sont illustrées à Moscou, à Leningrad et même, comme cet ingénieur chauve, au cosmodrome de Baïkonour.

Je feuillette les pages, j'exprime mon admiration devant l'ingénieur : originaire d'un petit village sur la mer Blanche, le voilà concepteur d'un moyen de communication spatiale ! L'insistance du regard de Zoïa me gêne. Elle me dévisage avec une hostilité condescendante, mine de dire : bon, tu finis tes bavardages et on va parler de l'essentiel. Je me tais, elle tourne la page, pointe son doigt sur l'une des photos.

Un homme âgé, photographié en compagnie de ses deux petites-filles, comme explique la légende. Un visage rond, charnu, un regard paterne. Sa veste est alourdie par quelques larges rondelles de décorations. « Un apparatchik soviétique type », me dis-je et j'apprends dans la notice qu'il s'agit d'un certain Boris Koptev, secrétaire du comité du Parti dans une grande usine moscovite...

« C'est lui... »

La voix de Zoïa trahit soudain une faiblesse essoufflée. Elle se reprend aussitôt et répète d'un ton ferme, celui d'un verdict : « Oui, c'est bien lui. L'homme que Véra a attendu toute sa vie... »

Son récit est bref et je l'écoute, me semble-t-il, avec tout mon corps, il se répercute comme un coup, comme une chute, comme une onde de choc, ne laissant en moi rien de vacant, rien d'intact.

Les derniers combats de la guerre, sous les

contreforts de Berlin et, ce jour-là, des dizaines d'hommes qui tombent d'un ponton éventré par une explosion. Des soldats du génie en train de préparer le franchissement de la Spree. Parmi ces corps déchiquetés, noyés, celui de Boris Koptev. Sa mort est annoncée aux proches dans un bref faire-part, un formulaire type tiré à des millions d'exemplaires : « tombé au champ d'honneur... une mort de brave ». De proches lui reste sa mère emportée bientôt par la famine de 1946. Et cette étrange fiancée qui gardera, comme une relique, le premier faire-part (erroné, lui dira l'administration militaire) : le soldat y était désigné comme « porté disparu ». L'attente peut commencer.

Commence aussi la nouvelle vie de Koptev fraîchement sorti de l'hôpital : le retour, Moscou la festive, l'ivresse de se sentir le héros victorieux acclamé à chaque pas, la quantité de visages féminins qui lui sourient, le nombre de femmes prêtes à s'offrir à des hommes valides et libres comme lui, à ces survivants mâles devenus si rares... D'obscur jeune kolkhozien, il devient un glorieux défenseur de la patrie, de cul-terreux assigné à rester, tel un serf, dans son hameau du Nord, le voici porté dans la capitale où ses médailles lui ouvrent les portes de l'université, assurent une carrière, gomment son passé villageois. Il n'a peur que de ce passé. Sur le chemin du retour, de Berlin à Moscou, il a vu ces villages biélorusses et russes dévastés, peuplés d'ombres affamées, d'éclopés et d'enfants rachitiques. Tout sauf ça ! Il veut rester parmi les vainqueurs.

Zoïa est partie depuis un moment déjà. C'est dans ma pensée que son récit se poursuit, suite de faits facilement imaginables, connus d'après tant d'autres témoignages, incarnés par tant d'hommes et de femmes rencontrés depuis mon enfance. Le retour d'un soldat. L'époque qui m'a vu naître était tout entière vouée à ce rêve, à sa joie, à son déchirement.

Lui arrivait-il de penser à Mirnoïé, à l'amour qu'il avait laissé au milieu des neiges douces et fatiguées du mois d'avril ? Très peu, probablement. Tel était le choc de la découverte de l'Europe pour lui qui n'avait jamais encore vu une ville et des maisons à étages. Et puis Moscou, une puissante drogue de nouveautés, un fabuleux excitant de tentations. Il n'a pas oublié, non, tout simplement il n'avait plus le temps de s'en souvenir.

Au moment de partir, Zoïa s'est arrêtée sur le seuil et a déclaré en me regardant droit dans les yeux : « Elle est donc ainsi, notre histoire », et elle a ajouté, d'un ton presque sévère : « Notre histoire à nous… » Sa voix m'a exclu calmement mais définitivement de cette histoire-là. La veille encore, ce rejet m'aurait peiné, je me sentais vraiment enraciné à Mirnoïe. À présent, j'en suis soulagé. Promeneur insouciant, je me suis égaré dans les arrières d'une guerre d'autrefois.

Après le départ de Zoïa, je recommence plusieurs fois à reconstituer la vie de Koptev, à imaginer ces trente ans qui ont fait de lui ce paisible grand-père et digne fonctionnaire du Parti. Puis, à un moment, je comprends que je pense à lui pour ne pas penser à Véra. Et je me rends compte que je n'ai ni le courage ni la logique nécessaires pour imaginer maintenant les sentiments de cette femme qui a attendu un homme toute sa vie. Un vide, un ébahissement malaisé, un agacement craintif, rien d'autre.

Il fait très froid. Je vais dehors chercher quelques bûches entassées près d'une remise. Le ciel est d'un violet glacial, la boue sous les pieds résonne, annonçant le gel. Le bois sonne aussi comme les touches d'un clavier. Je m'apprête à rentrer mais soudain, au bout de la rue je vois le faisceau d'une torche qui balaye, en lent zigzag, les ornières de la route. Véra... Je recule, me serre contre les rondins de l'isba, dans l'ombre.

Il me faut donc cette peur humiliante pour comprendre ce qu'est à présent cette femme. Une voix, la même petite voix sordide qui se félicitait que j'aie « couché » avec une femme pareille, s'écrie en moi : « Maintenant, elle va s'accrocher à toi ! » Très noblement, nous situons cette voix à la périphérie de notre conscience, dans la fange des instincts. Pas sûr. Car souvent, elle est la première à se faire entendre et elle nous ressemble.

Le faisceau de la torche ondule doucement, s'approche inexorablement de ma cache. Manifestement, elle vient me voir, elle veut me parler, se livrer, confier sa douleur, pleurer, trouver du réconfort auprès de l'homme qui... Subitement, je comprends qui je suis désormais pour cette femme, qui je suis devenu depuis la nuit passée. Je suis peut-être le seul homme qu'elle ait connu depuis le départ du soldat. Elle n'a plus personne dans sa vie. Les traces de ses pas, en hiver, dans cette rue. Dans son isba, la fenêtre d'où l'on peut voir le carrefour des chemins, la boîte aux lettres. Elle n'a plus rien ni personne à attendre. Donc, moi !

Le jet de lumière éclabousse le perron de ma maison, passe à un mètre de mes pieds. Elle va frapper à la porte, s'asseoir, s'installer pour une conversation interminable entrecoupée de sanglots, d'étreintes que je n'aurai pas le courage de rompre, d'extorsions de promesses. Tout sera faux à crier et parfaitement vrai, plein des vérités frustes et pures de sa vie ruinée. Elle a mille fois plus besoin d'aide que les vieilles qu'elle soigne.

L'avancée du faisceau ne ralentit pas, dépasse ma maison, s'éloigne. La femme doit aller préparer le bois et l'eau pour le bain que l'une des vieilles prendra demain. Cette réflexion ménagère me laisse souffler mais juste à la surface de ma peur. Au fond, la petite voix obscène veille : « Elle passera te voir au retour, elle s'installera, se taira probablement, jouant à la femme qui ne doute même pas de ta noblesse. Tu es coincé. Elle viendra te voir à Leningrad. Elle ne te lâchera plus d'une semelle. L'amour des femmes vieillissantes. Surtout d'une telle femme ! Tu remplaceras pour elle l'autre. Tu es déjà cet autre qu'elle croyait attendre… »

Je monte, allume le feu, mais préfère rester dans l'obscurité. La petite porte du poêle laisse filtrer juste un filet de luminescence rose. Si quelqu'un (quelqu'un !) se présente, je ferai semblant d'être déjà couché.

En réalité, tout s'est passé différemment. La reconstitution minute par minute, la trame chronométrée de cette nuit de lâcheté, s'est faite bien plus tard, dans ces moments de pénible sincérité où nous rencontrons notre propre regard, plus impitoyable que le mépris humain et le jugement du ciel. Ce regard vise juste et frappe à mort car il voit cette main (la mienne) qui rabat précautionneusement le crochet sur la porte, les doigts caressent le métal pour éviter tout cliquetis, la porte est fermée, dans ce village dont les maisons ne sont jamais verrouillées, le faisceau de la torche électrique balaie de nouveau l'obscurité en remontant la rue, je recule, je tends l'oreille. Rien. Celle dont je crains de partager le destin disparaît dans l'obscurité.

Il n'y a eu réellement que cela : la peur, ces

bûches glacées contre ma poitrine, l'interminable attente à quelques pas du rai de lumière qui découpait le chemin boueux, puis cette veille dans l'isba, les gestes amortis par l'angoisse, ce crochet que j'abaissais lentement, comme dans la lenteur hypnotique d'un cauchemar. Non, objectivement, il n'y a rien eu d'autre. La crainte de voir venir à moi une femme au visage ravagé par les sanglots et d'être contaminé par ses pleurs, par son destin, par la gravité inhumaine, et désormais irrémédiablement absurde, de sa vie. Une vie aussi vaine que ces coups de marteau qui ont retenti tout à l'heure, au loin. Qu'y avait-il de si urgent et de si utile à bâtir en pleine nuit ?

Un détail encore, surgissant vers minuit, quand la probabilité de sa venue commence à diminuer (« Quoique, dans l'état où elle est, même à minuit... »). Avec une serviette, je recouvre l'abat-jour de ma lampe de table, je l'allume et j'aperçois ce livre qu'elle m'a prêté un mois auparavant. Un ouvrage de Saussure que je n'ai même pas ouvert. Un livre-prétexte : c'était encore le temps où je cherchais par tous les moyens à gagner l'amitié, l'intimité plutôt, de cette femme. J'étais épris d'elle, amoureux, je la désirais. Tous

ces mots semblent maintenant insensés, impro-
nonçables. La peur se calme. Je parviens à réfléchir, à noter les bizarreries de l'existence. Ce
Saussure prêté prouve que même dans une situation aussi insolite que la nôtre la logique d'une
liaison reste toujours pareille : au début, un objet-
talisman, une bouteille à la mer, l'espoir fébrile
d'une suite, à la fin, ce volume inutile dont on
ne sait plus comment se défaire...

J'examine de nouveau le journal d'Arkhangelsk que Zoïa a laissé sur la table. La photo de
Koptev, l'art d'être à la fois un grand-père et un
excellent fonctionnaire du Parti. Je devine tout à
coup qu'il faudrait, selon la logique de l'existence, associer à sa physionomie plate et ronde
le visage de Véra. Car ils auraient pu (ils auraient
dû ?) former un couple... L'assemblage est impossible. « Elle est beaucoup plus jeune, me dis-je
confusément. Mais non, à peine trois ans de différence. » Je m'embrouille en essayant de saisir ce
qui rend ces deux êtres parfaitement incompa-
tibles. L'unique moyen de les imaginer ensemble
c'est de faire de Véra une imposante Moscovite,
aux traits alourdis, au regard satisfait, dirigeant
une chaire universitaire, membre du Parti... Le

contraire de ce qu'elle est. «Elle n'est pas de ce monde», finis-je par conclure bêtement et je me sens beaucoup plus proche du monde des Koptev. Cette appartenance me rassure, me libère, m'éloigne de Mirnoïé.

Vers deux heures du matin, une grande détente. Je sais qu'il faudra me lever très tôt, quitter le village en catimini, parvenir rapidement au croisement de routes, sauter dans un camion et, à la gare du chef-lieu, prendre le premier train pour Leningrad, pour la civilisation, pour l'oubli. Ce que je vais faire. Je me sens résolu, énergique. J'éclaire la pièce, sans plus me cacher et, en cinq minutes, je boucle ma valise que je ne parvenais pas à préparer depuis des semaines. Plus question de me casser la tête : je suis tombé malade de ces lieux, de leur passé, de la femme qui en gardait l'esprit, à présent ma guérison est proche. Dès la première bouffée de l'air acide de la Nevski... Je me demande un moment s'il ne serait pas plus élégant de laisser un mot. Moins inélégant, disons. Puis je projette de filer à l'anglaise.

Pendant les quelques heures de sommeil qui me restent, je me réveille souvent. La nuit der-

rière les vitres est d'un luisant d'encre, celui des
grands gels. À un de ces réveils, je crois devenir
sourd. Aucun souffle de vent, le feu mort dans le
poêle, le silence des espaces interstellaires, glacé,
absolu. Je n'ai pas le courage de ressortir, de rapporter du bois. Dans l'entrée, j'attrape la vieille
cape militaire. J'étale sa bâche par-dessus ma
couverture. La toile est tout usée, marquée, çà
et là, par les flammes, mais étrangement sa fine
couche me réchauffe mieux que ne ferait une
couette molletonnée. Un rêve passe, le récit que
m'a confié une des vieilles de Mirnoïé : son mari,
tué dans les neiges de Carélie, par moins quarante de froid et, depuis, le désir obsédant chez
la femme de lui chauffer un bain. Dans mon rêve,
un soldat est étendu nu au milieu d'une plaine
blanche. Il ouvre les yeux, je me réveille, je sens
sur mes joues glacées la brûlure des larmes.

7

Le premier regard dehors, bien avant le lever du soleil, est une chute sur une planète inconnue. Tout est pâle et bleu de givre, les arbres figés dans son daim, les murs facettés par ses cristaux. La route, hérissée hier encore de crêtes boueuses, est un long tracé blanc, lisse. Les tiges sèches des orties près du vieux perron se dressent en chandeliers d'argent. Je pousse la porte, le temps d'une inspiration qui tente de retenir, jusqu'au vertige, l'ivresse glacée de cette beauté. Cet air, je le sens, peut de nouveau me droguer, me faire oublier mon départ... Il faut partir le plus vite possible.

Ma valise à la main, je débouche sur la berge du lac quand le soleil, encore invisible, se devine derrière la forêt. La terre bleutée appartient à la nuit. Mais les sommets, blanchis, des plus hauts sapins se recouvrent d'une fine dorure transparente…

J'allonge le pas pour rompre l'envoûtement de ces lumières naissantes qui me retardent. Les premiers camions vont passer au croisement des chemins. Mais la magie de l'instant est partout. Chaque pas fait entendre une sonorité singulière de glace brisée. S'arrêter, se fondre dans ce temps sans heures. Je me retourne : au-dessus de la cheminée de la maison que je viens de quitter plane un léger flottement de fumée. Gratitude poignante, peur de ne pas pouvoir s'arracher à cette beauté.

À présent, le trajet va se détacher de Mirnoïé, rompre les charmes de ses dernières étapes : la petite isba des bains, la broussaille des saulaies…

Soudain, dans l'immobilité parfaite du blanc et du bleu, ce mouvement sombre. Son apparition d'ailleurs n'a rien de soudain. Un long manteau, le visage d'une femme. Je l'identifie, elle est là, sa présence à cet endroit est très ordinaire, j'aurais pu l'y rencontrer hier, comme avant-hier. Courbée, elle tâche de pousser la barque prise dans la glace, dans l'argile gelée de la berge. Elle semble totalement absorbée par son effort.

Je continue à marcher par pure inertie musculaire, plongé dans une insensibilité hypnotique, voyant déjà la scène qui va certainement se produire : elle entendra mes pas, se redressera, ira vers moi, le regard de plus en plus impossible à soutenir…

Elle entend mes pas, se redresse, me salue d'un bref hochement de tête. Ses yeux ont une expression que je connais bien. Ils ne me distinguent pas vraiment, il leur faudra du temps pour me laisser entrer dans ce qu'elle voit. Elle répète son salut, déjà comme une simple réplique du premier, retourne à sa tâche.

Je suis libre de partir. Pourtant, je quitte la route, je vais vers la rive.

La barque bouge à peine. La glace autour de sa coque est concassée par les bottes de la femme. L'argile est très rouge, les traces des pas s'impriment sur le blanc comme des traces de sang. Je cherche où laisser ma valise dans ce mélange de glace et de boue, puis je la pose sur la banquette de la barque. Et je saisis le rebord de la coque. La femme appuie sur le côté opposé, je réponds à son mouvement, l'embarcation se met à tanguer, entamant une imperceptible avancée saccadée.

Ensuite, cette glissade souple, la sonorité de la fine couche de glace que la coque brise, propulsée dans l'eau. La femme est déjà montée, elle se dresse sur l'arrière, une longue rame dans les mains. Je grimpe sans comprendre si c'est pour récupérer ma valise ou pour…

Je suis assis à l'avant, tournant le dos au but de notre traversée. Comme si je ne savais pas, comme si je n'avais pas à savoir où nous allons. La femme, debout, donne lentement un coup de rame d'un côté puis de l'autre. Me faisant face, elle ne me regarde pas ou, parfois, quand nos yeux se rencontrent, elle semble m'observer par-delà de très longues années. La glace se rompt sous la rame, le cliquetis des gouttes est d'une acuité de métal.

« Un beau piège », me dis-je et je comprends que c'était inévitable. Une logique sournoise et justicière voulait qu'une explication entre nous ait lieu. Elle aura lieu : des larmes, des reproches, mes tentatives malhabiles de la consoler, de me défiler. Avant ça, la femme fera ce qu'elle a à faire

sur l'île, puis nous reviendrons à Mirnoïé et j'ac-
complirai mon devoir d'unique ami, de seul
homme qu'elle ait connu depuis trente ans.

L'idée est aussi invraisemblable et évidente
que toute cette planète blanche qui nous entoure.
Un blanc nuptial, immaculé, terrifiant de pureté.
Même les tasseaux de pin qui forment cette croix
sont tapissés de cristaux.

Elle va sur l'île à cause de cette croix posée
sur les banquettes de la barque. Je me rappelle
ses paroles : « La prochaine fois j'emporterai la
croix… » La prochaine fois est donc aujourd'hui.
Une croix pour la tombe d'Anna dont le corps
avait voyagé dans mes bras. Des coups de marteau hier soir, c'était donc ces bras de bois qui ont
été cloués. Et le faisceau de la torche indiquait
le transport de la croix vers la barque. Pourquoi
l'avoir portée à la nuit tombante ? Pourquoi pas
ce matin ? Je comprends subitement quel genre
de femme s'est fait menuisier hier. Une femme
qui ne pouvait construire que ce symbole de mort
pour rester en vie. Elle l'enfoncera dans la terre
et elle se mettra à me parler, à pleurer, à essayer
de me retenir dans sa vie où il y a plus de croix
que de vivants. Le tasseau principal me paraît

démesurément long, puis je devine qu'il s'agit du pied qui s'enfoncera dans la terre.

L'île est blanche. L'église, engivrée, semble translucide, aérienne. La terre qui entoure la croix plantée est la seule tache sombre dans cet univers de blanc.

Nous descendons vers la berge, reprenons, sans un mot, nos places dans la barque. À un moment, l'idée me vient de parler, de désamorcer par quelques paroles neutres la grave explication qui se prépare. Mais le silence, trop ample, comme sous une immense nef, retient ma voix, la renvoie à l'intérieur, vers cette pensée fiévreuse qui se débat dans ma tête : comment dire à cette femme que pour partager son destin, même brièvement, il faudrait apprendre à vivre dans cet après-vie qui n'est pas notre vie à nous autres, qu'il faudrait pouvoir tout repenser, le temps, la mort, l'immortalité fugace d'un amour, qu'il faudrait... Le ciel au-dessus du lac est d'un éclat insupportable, la pureté de l'air enfle les poumons jusqu'à ce qu'on ne parvienne plus à respirer. J'ai très envie de quitter ce désert blanc, me retrouver dans l'exiguïté enfumée de notre atelier du Wigwam, dans le brouhaha des voix avinées, dans le frottement des corps, des petites pensées légères, des rapides liaisons sans promesses.

Nous contournons l'île. Bientôt, l'argile rouge de la berge, les saulaies… Elle descendra, me regardera longuement dans les yeux, se mettra à parler. Que pourrai-je lui dire : la mort, le temps, la fatalité ? C'est une femme seule qui tout simplement et humainement ne veut plus l'être. Mais cet infini blanc qu'elle porte en elle ne rentrera jamais dans la coquille chaude d'un Wigwam.

Le froid me fait sentir l'immobilité de mon corps. Je suis recroquevillé sur mon siège, ma valise posée entre mes pieds. L'idée me vient tout à coup de me sauver à l'accostage. Sauter à terre, tirer la barque, saisir la valise, lancer un mot d'adieu, m'en aller. Ses coups de rame deviennent de plus en plus espacés comme si, devinant mon projet, elle voulait retarder notre arrivée. Je sais que de toute façon je ne pourrais pas fuir. Grand inconvénient que ce manque de cynisme !

À ce moment, le nez de la barque heurte doucement un obstacle. Je me retourne, j'écarquille les yeux. Pas de saules, pas de vase rouge piétinée. Nous accostons au vieux débarcadère, de l'autre côté du lac. Avant que je comprenne ce qui vient de se passer, Véra descend sur les planches qui se ploient légèrement au-dessus des vieux pilotis. Machinalement je la suis, ma valise à la main, sur cet étroit ponton.

Elle me regarde dans les yeux, me sourit puis m'embrasse sur la joue et regagne la barque. Et c'est déjà en donnant le premier coup de rame qu'elle dit : « Comme ça vous êtes tout près de la ville. Vous aurez le train de onze heures… Que Dieu vous garde. »

Son visage me paraît vieilli, une tresse de cheveux argentés glisse sur son front. Et pourtant, elle est tout empreinte d'une jeunesse neuve, frémissante qui est en train de naître dans le mouvement des lèvres, dans le battement des cils, dans la légèreté de son corps que la barque emporte déjà…

J'agite le bras dans un salut vain, elle a le dos tourné et la distance grandit rapidement. Je m'avance jusqu'au bout du débarcadère et avec une intensité douloureuse je me dis que ma voix pourrait encore porter et qu'il faudrait absolument lui dire que… Le silence est tel que j'entends le petit clapotis envoyé par le départ de la barque et qui s'assoupit au milieu des pilotis.

Je n'ai jamais rejoint la ville à partir de cet endroit. Du débarcadère le sentier monte et quand je jette un regard derrière moi je vois le lac tout entier. L'île avec la touche claire de l'église et quelques arbres au-dessus du cimetière, le vallonnement bleu-gris de la forêt, les toits de Mirnoïé qui ont perdu l'éclat de leur blancheur, le givre commencera bientôt à fondre et ils ressembleront aux toits d'un village parmi d'autres, en attente de l'hiver.

Au loin, la barque sur la surface glacée paraît déjà immobile et pourtant elle avance. La trace de l'eau libre qui la suit s'allonge, s'étend vers l'infini des plaines enneigées, vers l'éclat mat du soleil. Et plus loin, dans les brumes givrantes de l'horizon, s'illumine soudain ce vide, au-delà des champs et des cimes des forêts. La mer Blanche…

Je distingue encore au-dessus du trait noir de la barque la silhouette en long manteau de cavalier. Malgré la distance, il me semble entendre le tintement de la glace qui se brise. La même sonorité qui emplit le dilatement lumineux du ciel. Le son s'interrompt juste à présent, comme dans l'instant où la rame suspend son va-et-vient, se repose. Je crois discerner le geste d'un bras qui ondule au-dessus de la barque, oui, je le vois, je me hâte d'y répondre…

Et la sonorité reprend, ténue, inaltérable.

Au temps du fleuve Amour
Le Félin, 1994
et « Folio » n° 2885

La Fille d'un héros de l'Union soviétique
Robert Laffont, 1995
et « Folio » n° 2884

Le Testament français
Prix Goncourt et prix Médicis
Mercure de France, 1995
et « Folio » n° 2934

Confession d'un porte-drapeau déchu
Belfond, 1996
et « Folio » n° 2883

Le Crime d'Olga Arbélina
Mercure de France, 1998
et « Folio » n° 3366

Requiem pour l'Est
Mercure de France, 2000
et « Folio » n° 3587

La Musique d'une vie
Prix RTL-Lire
Le Seuil, 2001
et « Points » n° P982

Saint-Pétersbourg
photographies de Ferrante Ferranti
Le Chêne, 2002

La Terre et le ciel de Jacques Dorme
Mercure de France, 2003
Le Rocher, 2006
et « Folio » n° 4096

Cette France qu'on oublie d'aimer
Flammarion, 2006

L'Amour humain
Le Seuil, 2006

IMPRESSION : CPI BRODARD ET TAUPIN À LA FLÈCHE
DÉPÔT LÉGAL: JANVIER 2005. N° 78746-3 (54601)
IMPRIMÉ EN FRANCE

Collection Points